用地理看歷史

大航海，何以扭轉世界霸權？

李不白——著

推薦序

一部視角獨特而卓識遠見的航海史

「歷史說書人 History Storyteller」粉專創辦人　江仲淵

十五世紀到十七世紀時期，歐洲人開啟「地理大發現」，首先是哥倫布開闢了橫渡大西洋到達美洲的新航線，隨後達．伽馬發現進入印度洋的航線，乃至第一次環球航行成功的麥哲倫，在受經濟利益與政治利益的雙重驅使下，歐洲帶領世界進入大航海時代。

地理大發現無疑是偉大的，人類透過自己的意志和知識，到達未曾企及的領域；於茫茫無邊的海洋中，追求著地平線以外的目的地，種種故事，構成了歷史重大的轉捩。人類還沒有實現環球航行、還沒有企圖稱霸海洋時，世界被高山與大海隔開，來往困難，只有少數陸路能夠通行，可以說那時各個國家是地域性的，而大航海後，各國間的往來阻礙已然降低。人類脫離了國家內部的交往，朝向世界性、國與國的較量邁進。

可以說，西元一五〇〇年前後是一個重要分水嶺。從那時開始，人類的歷史才稱得上是真正意義上的世界史。伴隨著新航路的開闢，歐洲的經濟生活從此發生了重大變化，各國在文化、貿易之間的聯繫大大增加，西方文明的國土擴張及快速發展，奠定了其超過亞洲繁榮的基礎。

貿易中心發生變動，主要商路從地中海沿岸轉移到大西洋沿岸，伊比利半島位於大西洋邊界，地理位置有利於航海業的發展，西班牙與葡萄牙率先由此成為因地理大發現崛起的帝國。歐洲各國紛紛投注心力，從殖民地大肆掠奪財富，加速歐洲封建制度的解體和資本主義生產關係的萌芽；同時初步形成世界市場，打破了北美、南美、澳洲的孤立狀態，世界至此由分散走向整體。

古希臘數學家畢達哥拉斯的地圓說，透過地理大發現得到證實，羅馬教會關於地球外形的說法最終被否定，促使天文學、航海學能在無後顧之憂之下進行更深層度的鑽研與突破。

誠然，這是一個毫無爭議的大時代，各項技術因其牽一髮而動全身，呈現出積極進步的態勢。

不過，不知讀者是否曾經想過，做為地理大發現的起始者，歐洲其實是最不可能達成地理大發現的構成要件的地區，比起首次進行大規模遠洋航行的中國，以及擅長運用科技資源的伊斯蘭國度，歐洲皆遠落後他人，甚至還沒有一個大一統的國家，可為什麼亞洲與中東接連與大航海時代失之交臂，反倒是歐洲取得最後的勝利？種種疑問，其實都有背後的歷史基礎，沒有一次是意外。

歷史、地理與政治之間有著錯綜複雜且密不可分的關係，它們構成了人類發展進程中的一條主要線索，在政治地理學研究興起的背景下，作者李不白透過大量閱讀及推理，梳理世界地理的脈絡。帶領讀者宏觀探討各地區之地理條件，強調諸如氣候、地形、水域的作用，並著重分析各個文明在不同發展歷程下呈現出的多樣化特徵，最終推導出歐洲地理大發現的真正原因。

歷史和地理、政治知識，基本上人人都有，但「具有知識」不代表「懂得整合」。作者李不白著有多本地理歷史學之專門書籍，從《用地理看歷史：得中原者，為何得天下？》，到《用地理看歷史：荊州，為何兵家必爭？》，乃至今日的《用地理看歷史：大航海，何以扭轉世界霸權？》。作者皆以鉅細靡遺的筆法，搭配圖文並茂的方式，將讀史的樂趣發揮得淋漓盡致。

本書最吸引我的地方在於閱讀每項主題時，都能有深刻了解當地情勢之感，作者透過龐大的資料統整，還原出一個地區擁有的原貌，並利用時人第一手的回憶，使人深入其境，再以宏觀的觀史方式來解釋事情的起因與來龍去脈。每一次的發現、戰爭、貿易，都能使人身臨其境，並對歷史巨輪的下一步產生好奇。

作者以地理歷史學的角度，呈現出一部視角獨特而卓識遠見的航海史，並帶出許多歷史發展上的必然方向。在如今歷史學術觀點趨於僵化的情況下，跳脫出既有的思考模式與邏輯，給予我們不同的觀史方式，尤顯彌足珍貴。

目錄

目錄

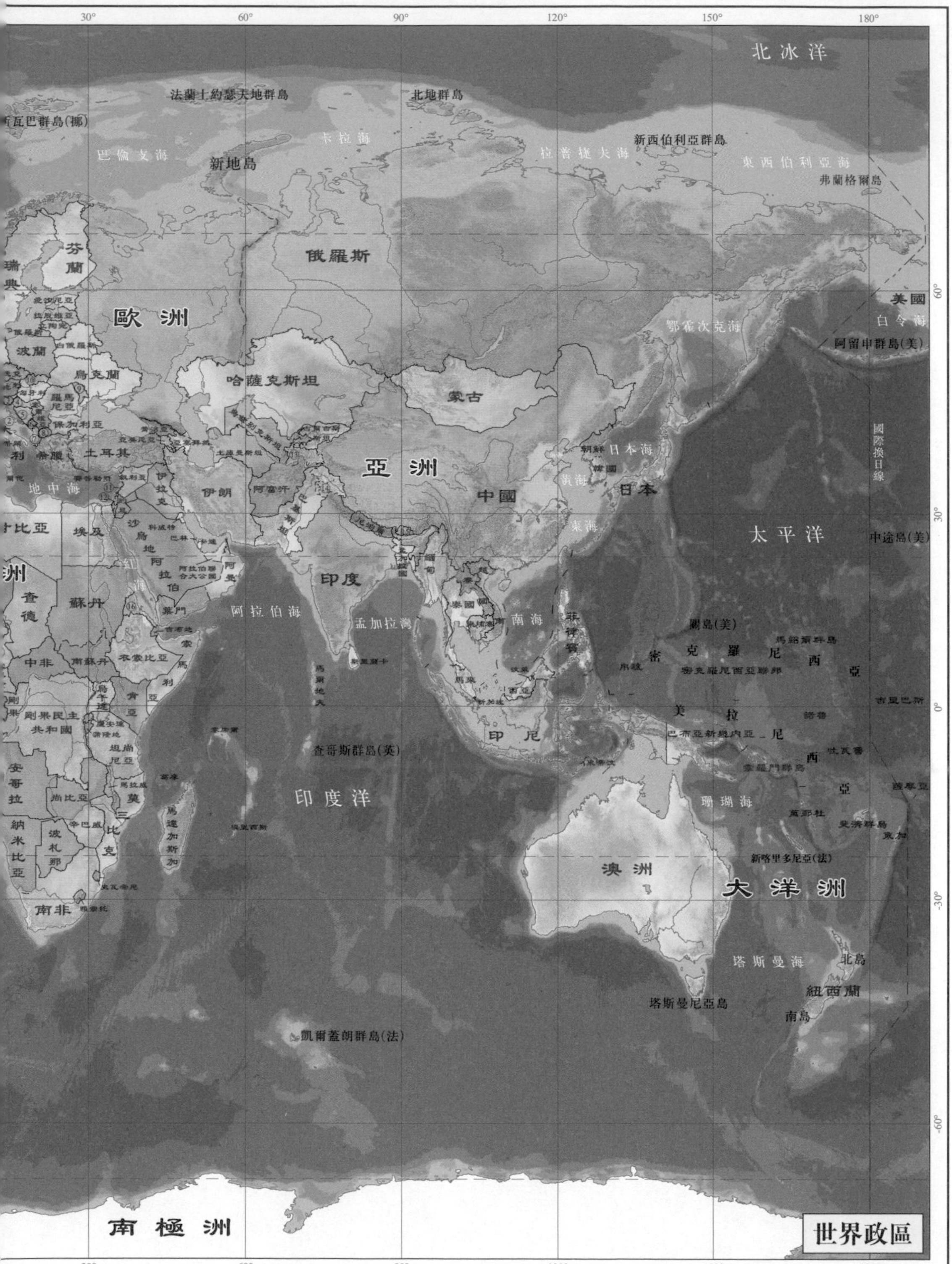

世界政區
北冰洋
法蘭士約瑟夫地群島
北地群島
卡拉海
巴倫支海
新地島
新西伯利亞群島
拉普捷夫海
東西伯利亞海
弗蘭格爾島
芬蘭
瑞典
俄羅斯
歐洲
美國
白令海
阿留申群島(美)
鄂霍次克海
波蘭
烏克蘭
白俄羅斯
羅馬尼亞
保加利亞
哈薩克斯坦
蒙古
土耳其
地中海
伊拉克
伊朗
阿富汗
土庫曼斯坦
亞洲
中國
朝鮮
韓國
日本海
日本
黃海
東海
國際換日線
太平洋
中途島(美)
埃及
沙烏地阿拉伯
紅海
科威特
巴林
阿拉伯聯合大公國
阿曼
葉門
印度
緬甸
泰國
南海
菲律賓
關島(美)
密克羅尼西亞
密克羅尼西亞聯邦
馬紹爾群島
阿拉伯海
孟加拉灣
查德
蘇丹
中非
南蘇丹
衣索比亞
索馬利亞
肯亞
剛果民主共和國
坦尚尼亞
安哥拉
尚比亞
莫三比克
納米比亞
波札那
南非
馬達加斯加
印度洋
查哥斯群島(英)
印尼
美拉尼西亞
巴布亞新幾內亞
索羅門群島
珊瑚海
萬那杜
斐濟群島
東加
新喀里多尼亞(法)
澳洲
大洋洲
塔斯曼海
北島
紐西蘭
南島
塔斯曼尼亞島
凱爾蓋朗群島(法)
南極洲
30°
60°
90°
120°
150°
180°
60°
30°
0°
-30°
-60°

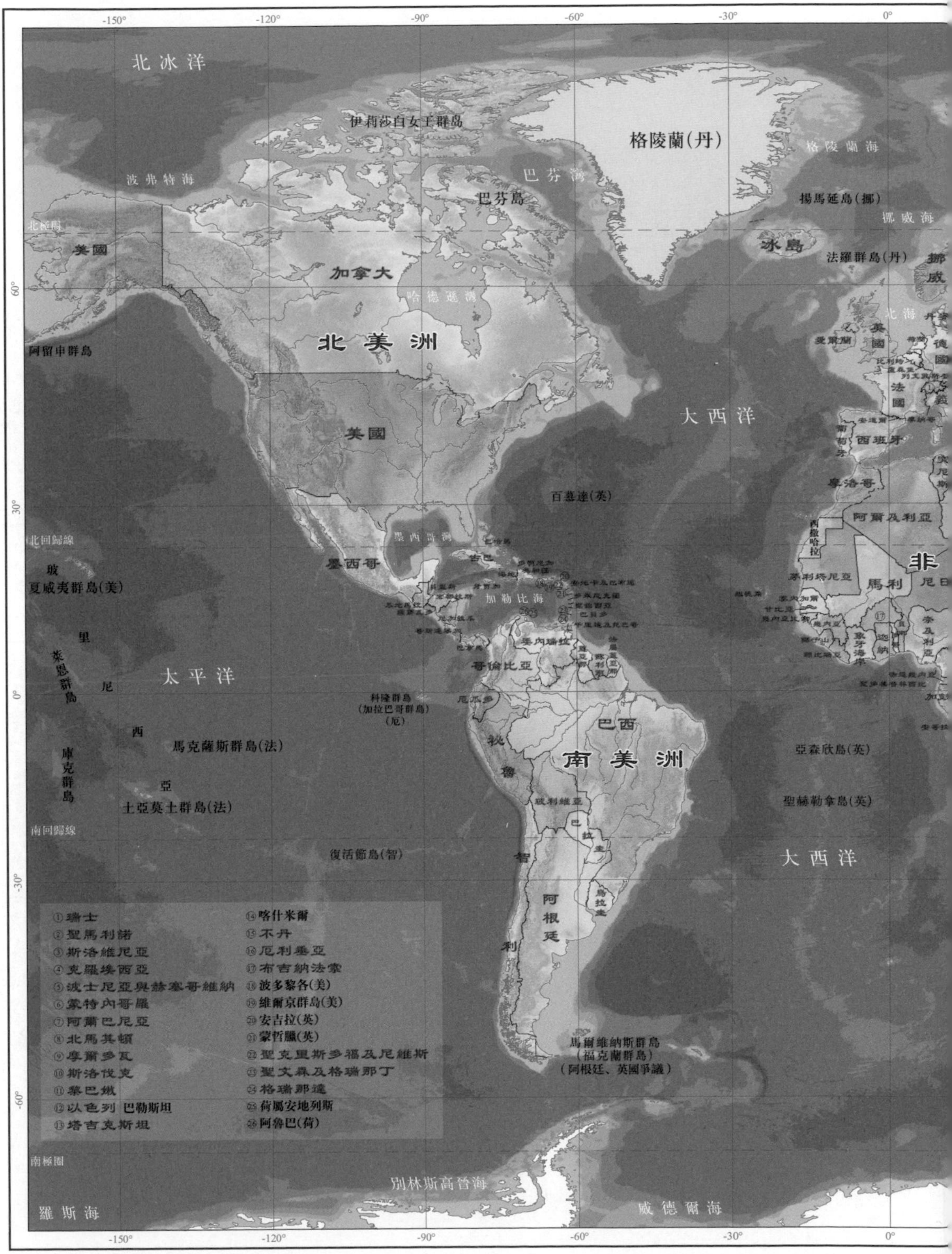
-150°
-120°
-90°
-60°
-30°
0°
北冰洋
伊莉莎白女王群島
格陵蘭(丹)
格陵蘭海
波弗特海
巴芬灣
巴芬島
揚馬延島(挪)
挪威海
北極圈
美國
冰島
法羅群島(丹)
挪威
加拿大
哈德遜灣
北海
英國
北美洲
阿留申群島
愛爾蘭
德國
法國
大西洋
美國
葡萄牙
西班牙
摩洛哥
百慕達(英)
阿爾及利亞
北回歸線
墨西哥灣
西撒哈拉
墨西哥
古巴
非
茅利塔尼亞
馬利
夏威夷群島(美)
加勒比海
哥倫比亞
委內瑞拉
蓋亞那
蘇利南
太平洋
科隆群島
(加拉巴哥群島)
(厄)
厄瓜多
巴西
馬克薩斯群島(法)
秘魯
南美洲
亞森欣島(英)
庫克群島
土亞莫土群島(法)
玻利維亞
聖赫勒拿島(英)
巴拉圭
南回歸線
復活節島(智)
智利
大西洋
烏拉圭
阿根廷
①瑞士
②聖馬利諾
③斯洛維尼亞
④克羅埃西亞
⑤波士尼亞與赫塞哥維納
⑥蒙特內哥羅
⑦阿爾巴尼亞
⑧北馬其頓
⑨摩爾多瓦
⑩斯洛伐克
⑪黎巴嫩
⑫以色列 巴勒斯坦
⑬塔吉克斯坦
⑭喀什米爾
⑮不丹
⑯厄利垂亞
⑰布吉納法索
⑱波多黎各(美)
⑲維爾京群島(美)
⑳安吉拉(英)
㉑蒙哲臘(英)
㉒聖克里斯多福及尼維斯
㉓聖文森及格瑞那丁
㉔格瑞那達
㉕荷屬安地列斯
㉖阿魯巴(荷)
馬爾維納斯群島
(福克蘭群島)
(阿根廷、英國爭議)
南極圈
別林斯高晉海
羅斯海
威德爾海

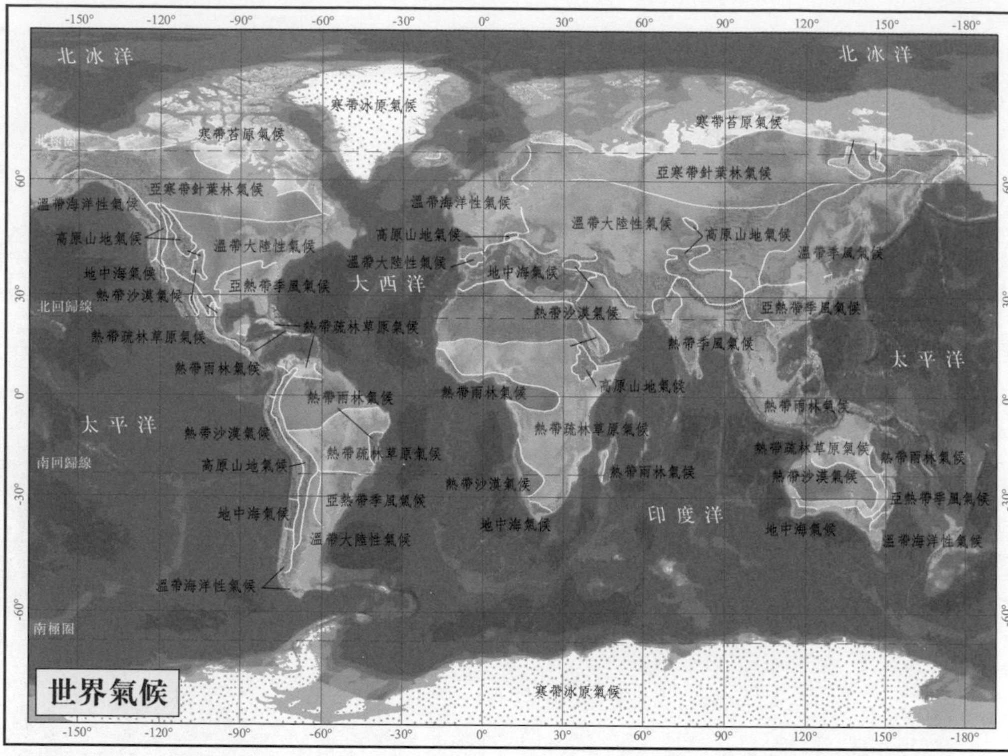
世界氣候
北冰洋
北冰洋
寒帶冰原氣候
寒帶苔原氣候
寒帶苔原氣候
北極圈
亞寒帶針葉林氣候
亞寒帶針葉林氣候
溫帶海洋性氣候
溫帶海洋性氣候
高原山地氣候
溫帶大陸性氣候
高原山地氣候
溫帶大陸性氣候
溫帶大陸性氣候
高原山地氣候
溫帶季風氣候
地中海氣候
熱帶沙漠氣候
亞熱帶季風氣候
大西洋
地中海氣候
北回歸線
熱帶沙漠氣候
亞熱帶季風氣候
熱帶疏林草原氣候
熱帶疏林草原氣候
熱帶季風氣候
熱帶雨林氣候
太平洋
高原山地氣候
熱帶雨林氣候
熱帶雨林氣候
熱帶雨林氣候
太平洋
熱帶沙漠氣候
熱帶疏林草原氣候
熱帶疏林草原氣候
熱帶疏林草原氣候
熱帶雨林氣候
南回歸線
高原山地氣候
熱帶雨林氣候
熱帶沙漠氣候
熱帶沙漠氣候
亞熱帶季風氣候
亞熱帶季風氣候
地中海氣候
地中海氣候
印度洋
地中海氣候
溫帶大陸性氣候
溫帶海洋性氣候
溫帶海洋性氣候
南極圈
寒帶冰原氣候
-150° -120° -90° -60° -30° 0° 30° 60° 90° 120° 150° -180°
60° 30° 0° -30° -60°

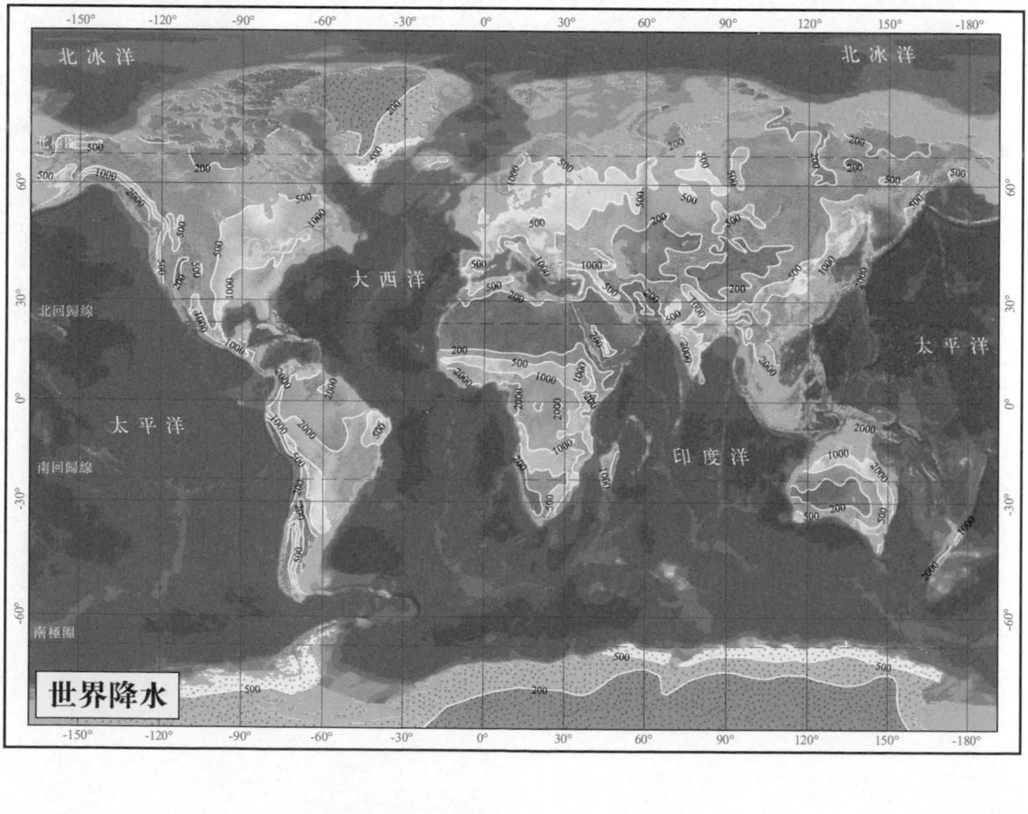
世界降水
北冰洋
北冰洋
北極圈
大西洋
北回歸線
太平洋
太平洋
印度洋
南回歸線
南極圈
200 500 1000 2000
-150° -120° -90° -60° -30° 0° 30° 60° 90° 120° 150° -180°
60° 30° 0° -30° -60°

第一章

大航海時代的起源——中斷的絲綢之路

開啟大航海時代前，我們先了解絲綢之路。可以說，正是因為絲綢之路中斷，才導致歐洲人開闢新航路。

絲綢之路的起點是長安，從長安往西，沿隴山東麓而上，北出蕭關後，到達一個小盆地（今固原）。從這裡沿清水河而上，可以到達黃河，西渡黃河後就是河西走廊。從河西走廊出來後，有兩個選擇，一是出陽關走塔里木盆地南線，一是出玉門關走塔里木盆地北線。南線的途中要穿過瓦罕走廊，是一條極其艱險的道路，並不常用，這裡就不多說了，單說北線。

從北線前往中亞，也有兩個選擇。

一是沿天山南麓，翻過帕米爾高原（古稱蔥嶺），到達費爾干納盆地。張騫出使大月氏和漢武帝征討大宛，走的正是這條路。但對普通商隊而言，這不是一條理想道路。帕米爾高原山體高大，平均海拔四千五百公尺以上，主要山峰海拔均在六千公尺以上，想翻過就要面臨生死考驗，而且一到冬天，大雪封山，道路更是不通。商人固然求財，但沒必要拿命去換。所以一定還有一條更好的道路，即便不是康莊大道，但能四季通行，路上有水源，跑一趟買賣也不至於送命，那就是理想之路了。

如果我們留意西域南、北兩部分的差異就會發現，除了東部與河西走廊相連外，天山南部幾乎是個完全封閉的區域，而天山北部往西卻有很多出口通往哈薩克丘陵和巴爾喀什湖。哈薩克丘陵是一片草原，巴爾喀什湖水域面積將近二萬平方公里，二者與東部的阿爾泰山相連，有山、有水、有草場，這裡是游牧民族的天堂。漢人要前往中亞，如果不想翻越帕米爾高原，最好是走天山以北。

事實上漢人出玉門關後，會在天山南麓碰到兩個比較富庶的地方，一個是哈密（哈密瓜產地），一個是吐魯番（盛產葡萄）。乾旱缺水的西域，盆地能蓄積附近山頂融化的雪水，即使這些水在地表停留的時間不長，很快滲入地下，但如果善加利用，也能造福一方。

天山山脈把西域分成南、北兩個部分（今稱為南疆和北疆），但恰好在吐魯番盆地的西北處斷開一個缺口，這個缺口又把南、北兩部分連接起來。從吐魯番沿著這條裂谷往西北方向前進，入口處會碰到達坂城（始建於唐代，王洛賓〈達坂城的姑娘〉唱的正是這裡），出口處會碰到烏魯木齊（漢時為東且彌國）。今達坂城屬於烏魯木齊的一個區，烏魯木齊之所以能成為新疆首府，正是因為扼守南、北兩疆的地理位置。

準噶爾盆地的西部有很多出口通往中亞，例如烏倫古湖、艾比湖之處，但愈往北，意味著氣候愈嚴酷，艾比湖雖然比較靠南，但過了艾比湖後，如果往北，穿過阿拉套山和瑪依力山之間的峽谷，往阿拉湖方向，就又繞遠了。而且這個峽谷是個大風口，通行條件並不好。最好的路線是過了烏魯木齊後，先沿著依連哈比爾尕山的北麓走，這裡受惠於雪山融水的滋養，有不少綠洲城市可以提供補給，到達艾比湖後，折向西南，沿婆羅科努山的山谷到達賽里木湖。賽里木湖的西南角有一條狹小的山谷通向伊犁河谷，即是今霍爾果斯的所在地，是中國西部重要的口岸城市。

當然，這裡說的是絲綢之路的主要路線，不同朝代會有所不同，例如漢代一開始控制的是南疆，北疆還是小國林立，伊犁河谷和巴爾喀什湖以南廣大的地區都在烏孫手下，所以那時的絲路就需要翻越帕

90°
95°
阿
爾
泰
山
脈
大湖盆地
哈巴河
阿勒泰
阿勒泰
齊
布爾津
斯
吉木乃
烏倫古湖
福海
河
富蘊
和布克賽爾
青河
烏爾禾
白鹼灘
準噶爾盆地
古爾班通古特沙漠
45°
沙灣
瑪納斯
石河子
呼圖壁
五家渠
阜康
吉木薩爾
奇臺
昌吉
昌吉
米泉
木壘
東且彌
烏魯木齊
頭屯河
巴里坤
脈
山
山
達坂城
天
車師
吐魯番
吐魯番
高昌
鄯善
哈密
哈密
哈密盆地
托克遜
吐魯番盆地
和靜
和碩
焉耆
焉耆
博斯騰湖
博湖
巴音郭楞
庫爾勒
尉犁
西域
90°

絲綢之路西域段
哈薩克丘陵
巴爾喀什湖
齋桑泊
塔爾巴哈臺山
塔城
額敏
裕民
阿拉湖
託里
瑪依力山
克拉瑪依
阿拉套山
阿婆羅
溫泉
博爾塔拉
博樂
艾比湖
精河
科努山
依連哈比
烏蘇
獨山子
霍爾果斯
霍城
伊犁
伊寧市
伊犁河谷
察布查爾
尼勒克
鞏留
新源
昭蘇
特克斯
特克斯河
天山山脈
伊塞克湖
赤谷
拜城
龜茲
庫車
新和
輪臺
塔里木盆地

米爾高原了。而到了唐代，中央政府在西域的統治範圍更大，力度也加強，於是北疆的路線成為主要路線。另外，絲綢之路還有很多支線，就不一一列舉了。

進入伊犁河谷，就進入中亞了。

從政治上講，今天常說的中亞是指中亞五斯坦（哈薩克、烏茲別克、吉爾吉斯、塔吉克、土庫曼）。從地理上講，就是西起裏海、東到中國、北至西伯利亞、南抵伊朗高原這部分。這裡身處歐亞大陸的腹地，最大的特點就是氣候乾燥，以及由此造成此處不同的歷史和人文。北部，從哈薩克丘陵到烏拉山南端是草原；中部，以荒漠為主；但在東部，靠著帕米爾高原和天山山脈（包括它們的支脈）上的雪山，在山腳下滋養出一個又一個綠洲。

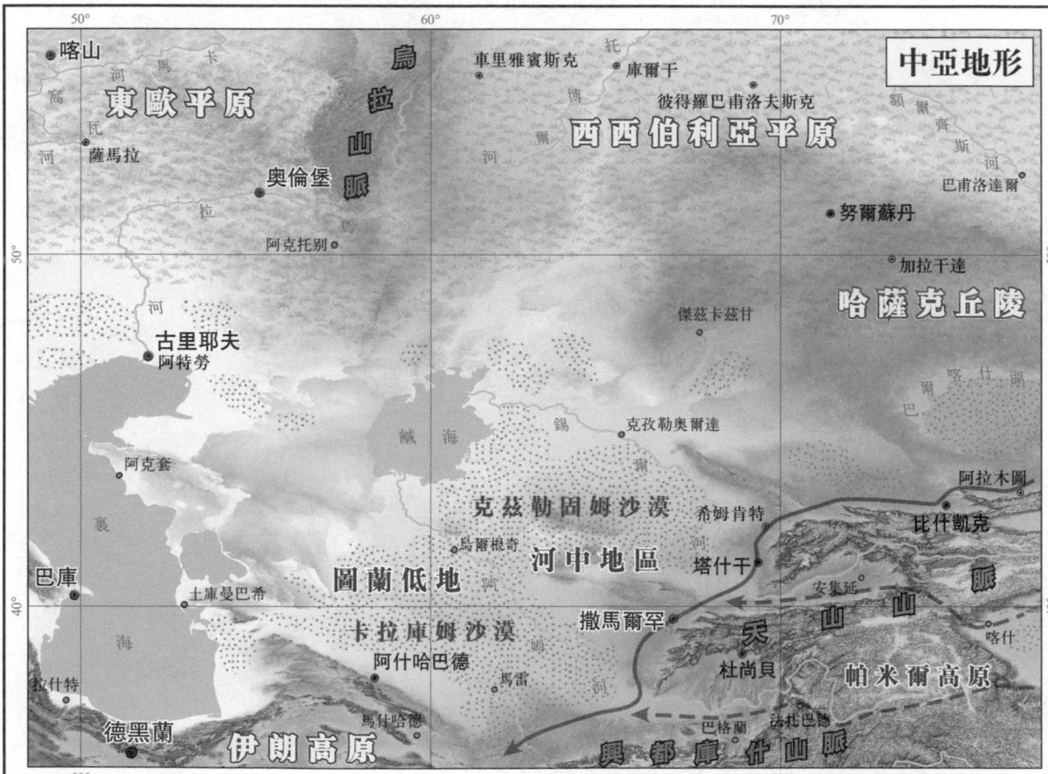

按理說，這裡身處內陸，東有帕米爾高原，南有伊朗高原，北部和西部倒是沒有什麼高山阻擋，但北冰洋和大西洋離得實在太遠，沒有全部變成沙漠也是奇蹟。原因在於這裡正好處於西風帶（南北緯三十度至六十度之間），而歐州的地形相對平坦，從大西洋過來的暖溼空氣可以順著西風一直吹到這裡，碰到帕米爾高原和天山時，受地形影響抬升，於是形成降雨。所以看到帕米爾高原和天山的西邊有幾個肥美的草場，如伊犁河谷和費爾干納盆地。另一方面，北冰洋的空氣又乾又冷，不能帶來降水，相反的，帶來的是低溫，所以這裡的冬天非常冷。

絲綢之路在中亞的路線比較明確了，就是沿著天山和帕米爾高原的山腳走，因為這裡條件好，人煙稠密，有眾多城市，商隊到了這裡，既方便歇腳，也方便販賣貨物。

鑑於中亞的生存條件，難以耕種糧食，在古代，主要是游牧民族馳騁的天堂，而他們的重要據點，無一例外地會選擇絲路沿線的城市，例如今阿拉木圖、比斯凱克、塔什干、撒馬爾罕等，都是因絲路而興起。

過了中亞就進入伊朗高原。

伊朗高原由小亞細亞和高加索開始，一直向東延伸，包括現今阿富汗的絕大部分和巴基斯坦的很大部分，海拔在九百到一千五百公尺，面積約二百五十萬平方公里，比青藏高原的面積還大。伊朗高原名義上是高原，實際是個山間盆地，四周由高山圍繞，中間卻相對平坦。從中亞、南亞到西亞，甚至北非和南歐這一片廣袤的土地上，伊朗高原是一個非常獨特的地理區域，因為四周有高山阻隔，可以有效防止外來攻擊，又因占據高原，對周邊的地區具有居高臨下的優勢。而伊朗高原不是一個完全封閉的盆地，東南西北各有一個出口，可以很方便地進出高原，對周圍的平原地區形成壓倒性優勢：東有開伯爾山口，可以直插印度河平原；北有馬什哈德，可以進入中亞的圖蘭低地；南有阿巴斯港，可以進入波斯灣；西有哈馬丹，可以進入兩河流域。自古以來，這裡成為帝國的搖籃，如波斯帝國。

波斯是早期希臘人對這個地方的人的稱呼，其實他們一直自稱伊朗（Iran），或翻譯成雅利安。雅利安人原本是生活在烏拉山南部的一個古老游牧民族，後來遷到河中地區（阿姆河和錫爾河之間），在這裡不斷繁衍生息。西元前十四世紀，雅

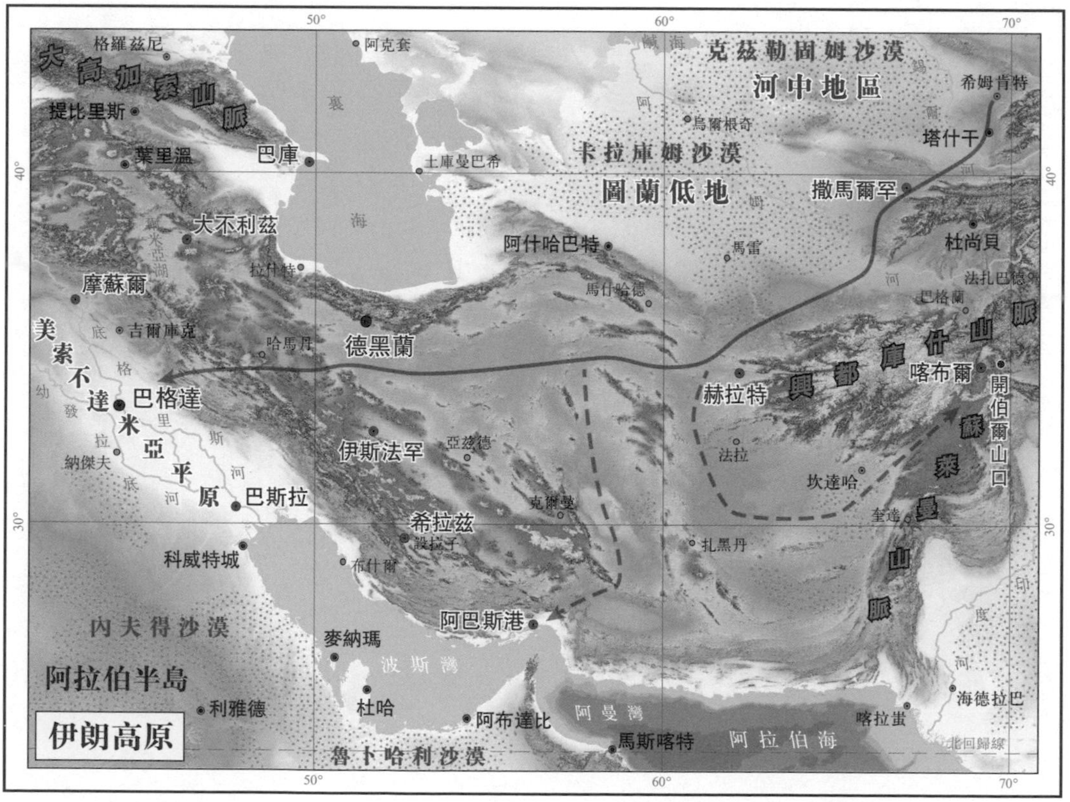

利安人開始南下，其中一支通過開伯爾山口進入南亞次大陸，摧毀了古印度，統治那裡膚色黝黑的土著——達羅毗荼人，建立種姓制度；另一支雅利安人進入伊朗高原，建立波斯帝國，然後從高原西下，摧毀了古巴比倫王國，隨後再摧毀古埃及。人類四大文明古國有三個都亡於雅利安人手上。

伊朗高原和中亞類似，也是草原、荒漠氣候。由於這裡四周都是山，阻擋了來自各個方向的水氣，降水量很少，不適合農耕，倒是適合放牧。雅利安人能在此發展壯大，正是因為這裡和中亞的氣候區別不大（緯度雖然比中亞低，但海拔比中亞高，氣溫相差不大），而且對周邊有居高臨下的地理優勢。

來自中亞的商隊從馬什哈德山口進入伊朗高原後，有幾條路線可以選擇：一是經開伯爾山口去往印度；一是經阿巴斯港南下印度洋；還可以往西經小亞細亞前往希臘；最主要的路線當然是經哈馬丹到達西亞最富庶的地方——美索不達米亞平原。

美索不達米亞平原又稱兩河流域，位於底格里斯河和幼發拉底河之間，今伊拉克境內。是古代四大文明的發源地之一古巴比倫所在地，也是世界上文明發展最早的地區。古巴比倫之所以能成為人類最早的文明，一是因為這裡產糧，二是處於歐亞大陸的十字路口。如果把帕米爾高原以西的歐亞大陸和北非比做中國，兩河流域就相當於中國的中原地區，無論南來的、北往的，還往東的、往西的，都要路過這裡。因底格里斯河和幼發拉底河的灌溉，這裡最早發展出農業，也最早建立了國家。巴比倫時代，這個地區非常富裕。同時，這裡地處平原，無險可守，四周貧瘠土地上的人，無不覬覦這片肥美的土地，於是在漫長的歷史當中，兩河流域成為周邊民族搶奪的焦點，不管是從伊朗高原下來的，還是從阿拉伯半島北上的，或者是小亞細亞半島過來的，甚至是從希臘過來的，以及從埃及過來的，都把這裡做為搶奪的第一目標。正因為如此，巴比倫文明很容易就被中斷、毀滅，未能像中國一樣延續至今，今天生活在這裡的伊拉克人和古巴比倫人沒有一點關係。

和古巴比倫類似的文明還有古埃及，人類文明最早都是從農耕開始，但這兩個地方的文明和中國不同。中國要發展農業，首先要解決水患問題，就是要治水，所以大禹成為英雄。但古巴比倫和古埃及不需要大禹這樣的人，他們的農業是在沙漠地帶發展起來，沙漠本身種不了糧食，但古巴比倫有底格里斯河和幼發拉底河，埃及有尼羅河，河水定期氾濫，會在沿河兩岸留下厚厚的一層淤泥，這些淤泥是很好的農耕土壤，而且這些土壤離河道近，缺水時也方便灌溉。

古印度文明和它們類似，印度最早的古國發源於印度河流域，而印度河同樣流經一片沙漠。沙漠地區不能存水，這種地方的河水氾濫只會留下肥沃的土壤，不會形成沼澤。而中國無論是黃河流域還是長江流域，一旦河水氾濫，帶來的只會是災難；所以想要保證農業收成，就必須上下游的人同一條心，甚至是南北方同一條心，這也是客觀促成中國最終成為統一國家的原因之一吧！

有人以為兩河流域的沙化是後來人為造成的，其實不是。人類的行為只會影響地表的植被，對大的氣候不會產生明顯的影響。兩河流域和附近的伊朗高原、阿拉伯半島一樣，受副高壓影響，都屬於乾旱地區，本來降水就少，只是上游受地中海氣候影響，降水量才多一點。地中海氣候的特點是冬季多雨，所以對農業的影響不大。

商隊到了兩河流域，基本上就到了終點。從這裡溯兩河而上，到地中海東岸的安條克，然後透過陸路到達君士坦丁堡和開羅，或者透過水路，把貨物運送到埃及的亞歷山大港，或希臘的雅典，或威尼斯，或羅馬，或熱那亞……

這是陸上絲綢之路，從中國運來的奢侈品主要有絲綢、瓷器、茶葉等。還有一條海上絲綢之路：從中國的東南沿海到東南亞，到印度，再到波斯灣，最終在兩河流域會合；或者在通過印度洋時，繞過阿拉伯半島，進入紅海，到達埃及，最後透過地中海上的商船發往歐洲各個港口，只不過這時蘇伊士運河沒有開通，這條路對商人來說很不划算。其中從中國到東南亞的主要還是絲綢、瓷器、茶葉等，但從東

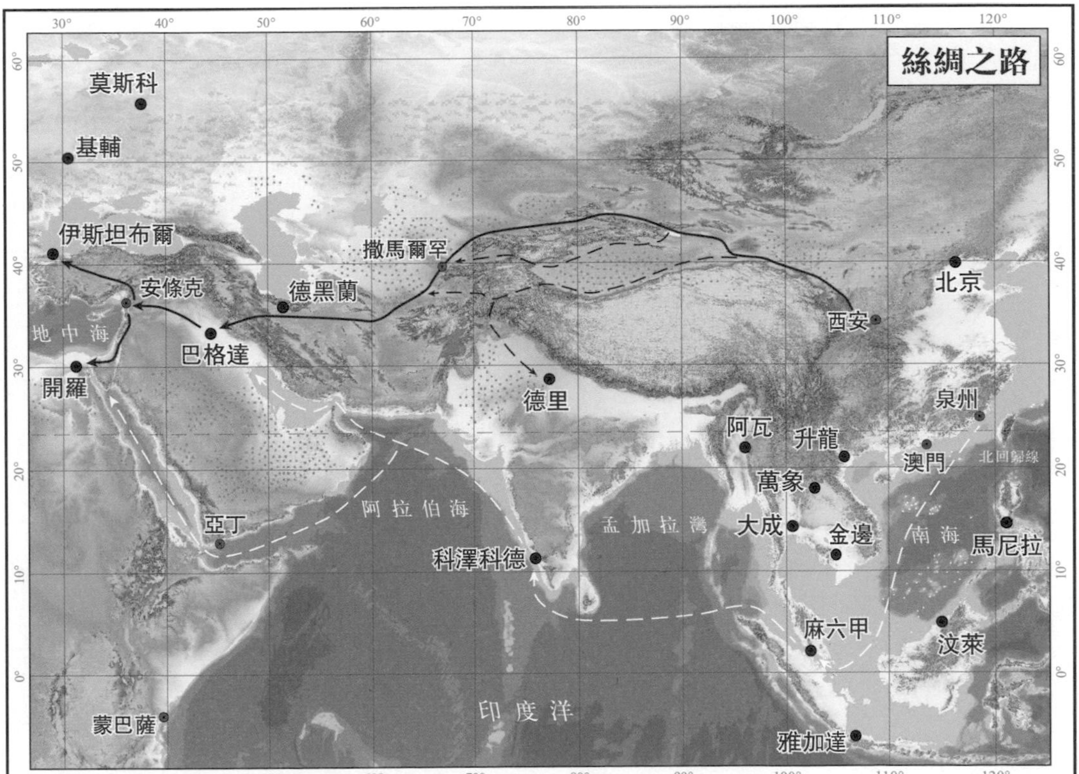

南亞到印度的商船上就裝滿了各式各樣的香料，如豆蔻、丁香、胡椒、肉桂……沒有這些香料，歐洲人一日三餐都難以下嚥。

另外，整個歐亞大陸上，自歐洲多瑙河下游起，經東歐平原、西西伯利亞平原、哈薩克丘陵、蒙古高原，直達中國東北的松遼平原，是一片呈帶狀連續的草原，東、西綿延近一百一十個經度，就是地球上最寬廣的草原——歐亞大草原，也是歐亞大陸上各個游牧民族的主要活動範圍。總體來說，歐亞大草原的東部乾燥，西部溼潤，水草條件西部比東部好，為了尋找更好的生存條件，逐水草而居的游牧民族總是由東部向西部遷移。而氣候更惡劣的東部草原上的游牧民族，相對來說戰鬥力更強，西部的游牧民族總會感受到來自東方的壓力，從而不斷西遷。這是客觀規律，也是影響歐亞歷史發展的大環境。匈奴人如此，蒙古人也如此。歐亞大草原上，原本部族林立，各立山頭，互相殺伐不斷，當蒙古人第一次把歐亞大草原統一起來時，絲綢之路變得無比暢通，歐亞之間的商貿異常發達。但當蒙古人敗落後，草原又回到過去那種互相征伐的狀態，絲綢之路不再暢通無阻，享受慣東方奢侈品的歐洲貴族們卻不適應了，沒有絲綢的衣服缺少光鮮，沒有香料的飯菜難以下嚥，他們的生活已經離不開東方的各種產品了。就像近代以來，東方人羨慕西方人的生活方式一樣，那個時候，歐洲人同樣對東方人的生活滿懷憧憬。

第二章

為什麼是歐洲人開啟大航海？

大航海時代開啟了人類歷史的新篇章，使原本獨立的各個文明連成一體，同時引發歐洲人的科技革命。但在當時，歐洲人的航海技術並未領先，中國人、阿拉伯人都比歐洲人強，但為什麼偏偏是歐洲人打開了新世界的大門？回答這個問題前，我們先來了解一下歐洲歷史。

之前提過人類四大文明古國——古巴比倫、古埃及、古印度和中國，都是原生文明，其他文明都是次生文明，或多或少受過原生文明影響。歐洲最早的文明——古希臘文明，正是受到古巴比倫和古埃及的雙重影響。

希臘半島位於巴爾幹半島的南部，山峰林立，幾乎看不到平地，在早期，產生不了農業文明。而巴爾幹半島的北部巴爾幹山脈（也稱老山山脈）幾乎將整個巴爾幹半島與歐洲腹地隔絕，生活在半島上的人們一直很苦悶。在希臘神話故事裡經常看到某某王子去放羊，就是因為這裡不產糧，生活條件很艱苦。

不產糧的原因除了沒有平原外，還有一個重要的原因是氣候。巴爾幹半島地處地中海北岸，深受地中海氣候影響。地中海氣候的特點是：夏季炎熱乾燥，冬季溫和多雨，是十三種氣候類型中唯一一種雨熱不同期的氣候類型。中國的東部處於季風區，最大的好處是雨熱同期，所謂雨熱同期就是雨水和熱量同時到來。農作物的生長離不開兩樣東西：水和熱，雨熱同期能保證農作物健康生長，中國由此發展出延續幾千年的農耕文明。而地中海氣候對農作物生長很不友好：夏天光照強時，農作物需要大量水分，偏偏老天不下雨；冬天倒是有水，但光照又不行，陽光太弱不利於植物行光合作用。

希臘不產糧，但有兩個特產：葡萄和橄欖。這兩樣東西都耐旱，山地也可以種植，葡萄可以釀酒，或晒成葡萄乾，橄欖樹的果子可以榨油，而且葡萄酒和橄欖油都很好保存，是很好的商品。

但希臘人不能拿葡萄酒和橄欖油當飯吃，還是需要糧食。好在離得不遠的埃及，沿尼羅河兩岸就是產糧區；如果再遠一點，還可以到達兩河流域，和那裡的蘇美人交換糧食。幸運的是，每到夏季時，地中海風平浪靜，不需要很高超的航海技術就可以穿過。於是希臘人和埃及人、蘇美人有了交流。

有了交流，就有了文明的傳播。古埃及和古巴比倫的文明最早是傳到克里特島上，然後透過愛琴海上星羅棋布的小島，

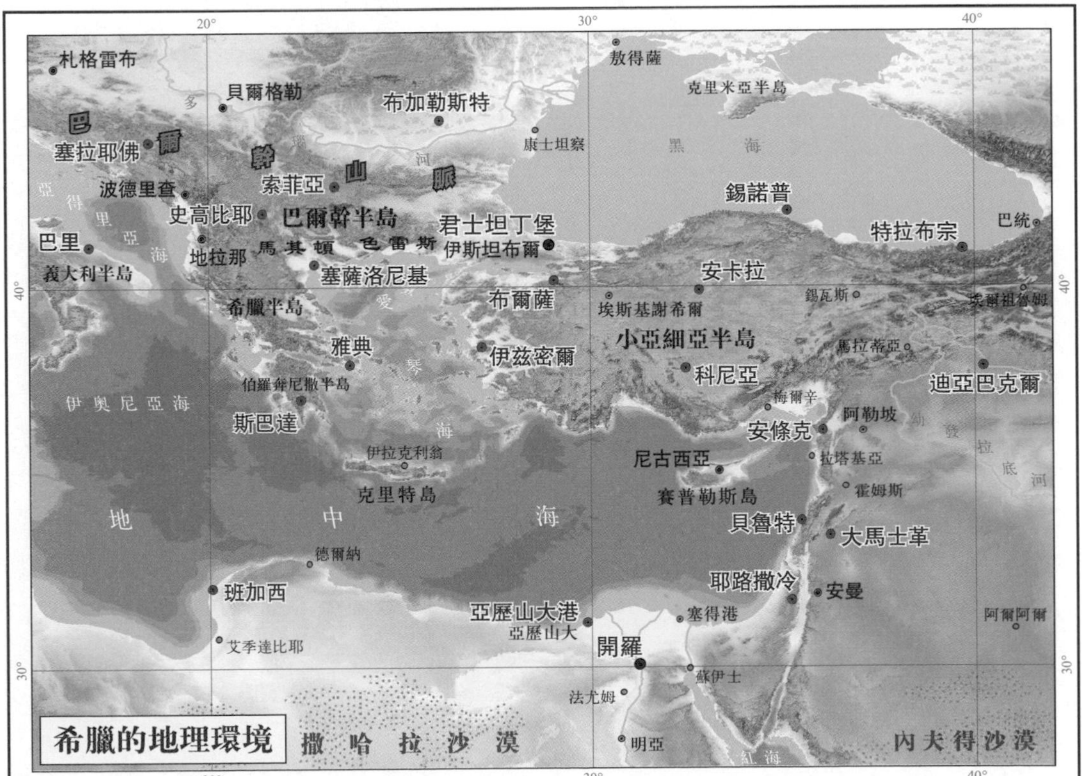

希臘的地理環境

一步步傳到伯羅奔尼薩斯半島和希臘半島，於是希臘人有了自己的文明。

很顯然，希臘人不能照著埃及人和蘇美人那樣學習農耕技術，因為這裡層巒疊嶂，沒有大平原，受地中海氣候影響，種不出糧食。也不能學游牧民族那樣去搶，風險太大，而且朝不保夕。基於世世代代出海經商為生的傳統，希臘人發展出一套自己的商業文明，或者說海洋商業文明。今天全世界都用橄欖代表和平，源頭正在這裡。當年希臘人如果沒有橄欖，就只能學游牧民族那樣出去搶了，不偷不搶，靠做生意換糧食，這就是和平。為什麼不用酒？因為酒不是普通百姓消費得起的東西，遠沒有橄欖油那樣家喻戶曉。

商業文明的命根子是契約精神，這個不難理解，例如，希臘人拿著葡萄酒到埃及換糧食，一、兩年如此，時間一長，大家熟了，兌換的比例基本固定，如果有一天希臘人突然挖空心思想以次充好，或者坐地起價，那對不起，上當的埃及人下回就不做你的生意了。因為糧食是必需品，葡萄酒是奢侈品，沒有葡萄酒喝的埃及人照樣生活，無非就是日子寡淡了點，但沒有糧食吃的希臘人會餓死。所以說，誠實、守信是商業文明的根本。

另外，生意人不需要像農民那樣從年頭忙到年尾，葡萄和橄欖樹平常基本上不需要打理，希臘人的閒置時間比較多，有了空閒，便開始思考，於是某一天，他們仰望星空，靈感突發，發明了哲學。其中以蘇格拉底（Socrates）、柏拉圖（Plato）、亞里斯多德（Aristotle）為代表，人稱「古希臘三賢」。

特別是亞里斯多德，他是古希臘文化的集大成者，研究領域涉及倫理學、形上學、心理學、經濟學、神學、政治學、修辭學、自然科學、教育學、詩歌、風俗，以及雅典法律。總之，沒有他不會的。

這時正是中國的春秋戰國時代，中國先賢們也在思考。不同的是，他們在思考人與人之間的關係。沒辦法，農耕文明的人口密度大，不處理好人與人之間的關係會出亂子。

而希臘正好相反，商業人口少，地形複雜，交通不方便，所以不需要思考人與人之間的關係，更多的是思考個人問題：我是誰？我從哪裡來？要到哪裡去？然後進一步上升到對世界的思考：宇宙的本質是什麼？事物的本質是什麼？運動的本質是什麼？

希臘人發明了幾何學，用數學解釋世間的萬事萬物，一切科學的種子在這裡發芽。但希臘人顯然太超前了，這些種子還不能落地生根，人類還處在占領土地、搶奪糧食的時代。而希臘又受限於地理環境的影響，都是城邦小國，未能將這些科學的種子傳播到四方。也就是說，這個時代還是農耕文明當主角。

與希臘半島隔海相望的義大利半島卻完全不同，義大利半島北部的波河平原，面積高達四萬六千平方公里，超過了關中的渭河平原（三萬六千平方公里），足以孕育出一個農業帝國。波河平原的北部是著名的阿爾卑斯山脈，也是歐洲海拔最高的山脈，山頂終年積雪。前面說過，這裡受地中海氣候影響，夏天炎熱少雨，但波河平原不缺水，就是有阿爾卑斯山的雪山融水源源不斷流向這裡，為農業發展提供先決條件。平原的南部一直延伸到半島的最南端，甚至包括西西里島，是一條長達一千四百公里的山脈——亞平寧山脈，按其地理位置又劃分為三段：北亞平寧山、中亞平寧山、南亞平寧山。亞平寧山脈幾乎貫穿整個義大利半島，所以又稱亞平寧半島。亞平寧山脈的兩邊，靠近地中海沿海地帶，有一些比較小的沖積平原，這些地方受希臘文明的影響，早期建立了一些城邦國家，如中部的羅馬。

羅馬人要前往埃及和兩河流域做生意遠不如希臘人方便，他們有耕地，可以自己種糧食。和全世界一樣，農耕文明的人口增長很快，隨著人口的增長，羅馬人的耕地不夠了，於是向外擴張，先占領亞平寧山脈西部的一些平原，然後翻過亞平寧山，占領亞平寧山北部的平原，最後占領了波河平原。這時的羅馬已不是一個城邦，而是地中海沿岸的大國。

羅馬擴張到波河平原後，前方有高大的阿爾卑斯山脈阻擋，於是把目光放在

義大利半島

地中海的幾個島上：西西里島、薩丁尼亞島和科西嘉島。可惜的是，這三個島已經有了主人，就是迦太基。

當時的地中海被兩大勢力控制：東部是希臘人，西部是迦太基人。希臘人在鼎盛時期，不僅控制了小亞細亞西部沿海地區，還把勢力擴展到義大利半島南部，以及西西里島東部，他們稱這裡為大希臘。

迦太基是腓尼基人在北非西部（今突尼西亞）建立的國家，腓尼基人原本生活在地中海東岸（今黎巴嫩和敘利亞沿海一帶），後受到亞述、巴比倫等國擠壓，一部分遷移到北非，向生活在那裡的柏柏爾人（拉丁語「野蠻人」的意思）借了一塊地，建立迦太基國。

腓尼基人不但是出色商人，而且擅長航海，地中海每一個港口都有他們的身影。據說，腓尼基人的商船經常出沒在波濤洶湧的大西洋，向北到過不列顛，向南到過好望角。頻繁的商貿活動中，腓尼基人經常需要記帳、書寫，於是參考了埃及人的象形文字和蘇美人的楔形文字，創造出簡單而方便書寫的二十二個腓尼基字母。這些字母傳到希臘，希臘人稍加改造，成為希臘字母。後來希臘字母傳到羅馬，羅馬人又稍加改造，就是羅馬字母，也叫拉丁字母。可以說，腓尼基字母才是歐洲文字的起源。

腓尼基人和希臘人一樣，都是商業國家，都把目光放在海上，雙方為了爭奪海上霸權經常發生衝突，誰都沒有留意羅馬從一個部落發展成一個大國。

而輝煌一時的希臘，在逐漸衰落後被北方的馬其頓人征服。馬其頓出了一個亞歷山大大帝

（Alexander the Great），短短的十三年時間，不僅統一了希臘，還征服了西亞，收服埃及，掃滅波斯帝國，一直打到印度河。可惜的是，亞歷山大只活了三十三歲，他死後，帝國土崩瓦解，希臘的輝煌一去不復返。

此時羅馬人在地中海的唯一對手就是迦太基。

西元前三世紀至前二世紀，羅馬與迦太基進行了三次戰爭，史稱「布匿戰爭」，最終迦太基被滅國，迦太基城化為一片灰燼。而原本留在地中海東岸的腓尼基人後來逐步被希臘人、羅馬人同化。從此，腓尼基人消失在歷史的長河中。

至此，羅馬人控制了整個地中海西部沿岸的陸地，以及海中的島嶼。

隨後，羅馬人進入巴爾幹半島，逐步消滅半島上眾多的邦國，希臘也併入羅馬版圖。

征服希臘的羅馬人繼承很多希臘人的文化，如雕塑、藝術品，唯獨對科學不感興趣。人家忙著打仗，哪有閒功夫研究這些。

隨後一百年的時間，羅馬人逐步占領了西班牙、高盧、小亞細亞、地中海東岸、埃及，把地中海變成了內湖，成為一個橫跨亞、歐、非的超級大帝國。

羅馬帝國在擴張的道路上一發不可收拾，但始終沒有解決一個問題，就是如何統治一個面積如此之廣的帝國？同時期的東方，秦始皇實行郡縣制，用武力實現了統一，但很不穩定，僅到二世就滅亡；到了漢朝，武帝獨尊儒術，從思想上解決人們對大一統的認可，又創立察舉制，選拔專業的官員來管理國家，從而實現中央集權。但羅馬帝國沒有解決這些問題，帝國內部各種勢力錯綜複雜，各個征服的土地也有相當的自主權，帝國隨時面臨土崩瓦解的危險。

羅馬一開始是王國，後來變成共和國，最終成為一個帝國。之所以會有這種變化，是因為深受希臘文化影響，後來又發覺希臘人那一套行不通。

當時的希臘不是一個國家，而是一個地域文化符號，城邦林立，其中以雅典為代表，實行的是民主政治；另一個以斯巴達為代表，實際是王權政治。其他的小邦國多依附於這兩個城邦。也就是說，雅典是沒有國王的；斯巴達雖然有國王，但權力極為有限。電影《三百壯士：斯巴達的逆襲》中，國王要帶兵抵禦波斯人，議會不同意，只好帶三百名親兵，還告訴議會這不算軍隊。如果細究起來，斯巴達的政體和雅典在本質上沒有不同，所以這裡只說雅典的民主政治，也是現代民主政治的鼻祖。

雅典的民主政治就是三權分立：立法、司法、行政。公民大會是雅典最高權力機關，掌握立法權；五百人議事會是最高行政機關，掌握行政權；民眾法庭是最高司法機關，掌握司法權。這種政治制度的設計發生在二千六百多年前，我們不禁對古希臘人的智慧感到由衷敬佩。只是和現代民主政治中的代議制不同，雅典實際上是直接民主，這就比較麻煩了。例如雅典的公民大會，凡是雅典的公民都有權參加，一來雅典是個城邦，人不多；二來不是所有人都有公民權（婦孺、奴隸沒有），但即使是這樣，公民大會也有四、五百人參加，可以想像一下，西元前六世紀，沒有麥克風，沒有便宜的紙和筆傳遞檔案，四、五百人湊在一起開會是什麼結果？

羅馬的政體可說是雅典和斯巴達的結合體，當羅馬還是小城邦時，也是有國王的，這一時期稱為「羅馬王政時代」。西元前五一〇年，羅馬人驅逐國王盧修斯・塔克文・蘇佩布（Lucius Tarquinius Superbus），結束羅馬王政時代，建立了共和國。羅馬共和國由元老院、執政官和部族會議三權分立。掌握國家實權的元老院由貴族組成，執政官由百人會議從貴族中選舉產生，行使最高行政權力，部族會議由男性平民和男性貴族構成，所以羅馬共和國沒有絕對的統治者。西元前十七年，屋大維（Augustus）消滅了馬克・安東尼（Mark Antony）和馬爾庫斯・埃米利烏斯・雷比達（Marcus Aemilius Lepidus），集軍政大權於一身，從此羅馬進入帝國時期。但即使是屋大維，也只是權力比以前的執政官大了一些，和中國的皇帝仍相差萬里，中國皇帝是家天下，天下一切都是他的，所有權力集於一身，任何人都不能挑戰這個權威。羅馬帝國時期，這些執政官的權力只是相對於共和時期比元老院的權力大一點，並非一切都是自己說了算，元老院和部族會議也不是擺設，而且職位不能世襲。其實不管是王政時代、共和時代，還是帝國時代，羅馬政體有一個內核沒有變，就是師承希臘人的三權分立，三個時代可說是三種權利在博弈中此消彼長的結果。不管怎麼樣，在羅馬人的心中，和希臘人一樣，有一個觀念是不變的，就是權力需要制衡。

權力被制衡的好處是公民相對自由，自由讓希臘人創造了影響後世幾千年的古典文明，也讓羅馬文化影響了後續歐洲的各個民族國家。

和中國文化相反，歐洲人的傳統意識沒有大一統的概念，自由和民主是他們與生俱來的追求，這個淵源在於古希臘和古羅馬文化的影響。

因為各地都有一定的自治權，羅馬帝國沒有實現中國那樣的中央集權，要統治這麼大一片土地的難度相當大。西元三九五年，狄奧多西一世（Theodosius I）死後，將羅馬帝國分給兩個兒子，從此正式分裂為東、西羅馬帝國，巴爾幹半島和以東為東羅馬帝國，首都在君士坦丁堡（今伊斯坦堡）；義大利半島和以西為西羅馬帝國，首都仍在羅馬。君士坦丁堡在希臘古城拜占庭的基礎上建立起來，所以東羅馬帝國又被後人稱為拜占庭帝國。

從西元前五〇九年到西元前二七年，羅馬共和國存在了將近五百年。從西元前二七年到西元三九五年分裂，羅馬帝國也存續了四百多年。看來，歷史留給羅馬帝國的時間不多了。這時正是中國的南北朝時代，中國人常講「分久必合，合久必分」；但歐洲的歷史不是這樣，他們一旦分了，基本上不會再合。

我們看中國歷史時，常有一個疑惑：做為漢朝最大的敵人，匈奴人最後去了哪裡？漢朝人沒有將匈奴斬草除根，他們最後還有很大的勢力，只是按中國史書的記載，他們西去後就不知所蹤了。

其實只要看一看地圖就會發現，匈奴是游牧民族，只能逐水草而居，他們的去向只有一個，就是沿著歐亞大草原一路往西，先到中亞，再到歐洲，最遠能到今匈牙利一帶。

歐洲早期的文明都在沿地中海一帶，從巴爾幹半島到義大利半島，再到伊比利半島，這些最終都成為羅馬帝國的領地。阿爾卑斯山脈以北是廣袤的平原，分為西歐平原、北德平原和東歐平原。其中，西歐平原（今法國一帶）居住著高盧人，北德平原（今波蘭和德國一帶）居住著日耳曼人，以及東歐平原（今烏克蘭和俄羅斯一帶）上的斯拉夫人。高盧人屬於凱爾特人的一支，凱爾特、日耳曼、斯拉夫被當時的羅馬帝國稱為三大蠻族。歐洲的平原雖然多，但緯度偏高，阿爾卑斯在北緯四十六度左右，和中國哈爾濱的位置相當，雖然歐洲有北大西洋暖流的影響，同緯度的里昂不會像哈爾濱那麼冷，但歐洲三大平原絕大部分在阿爾卑斯山脈以北，且北大西洋暖流影響的主要是西歐和北歐，所以早期農耕技術還不發達時，歐洲平原發展不出農耕文

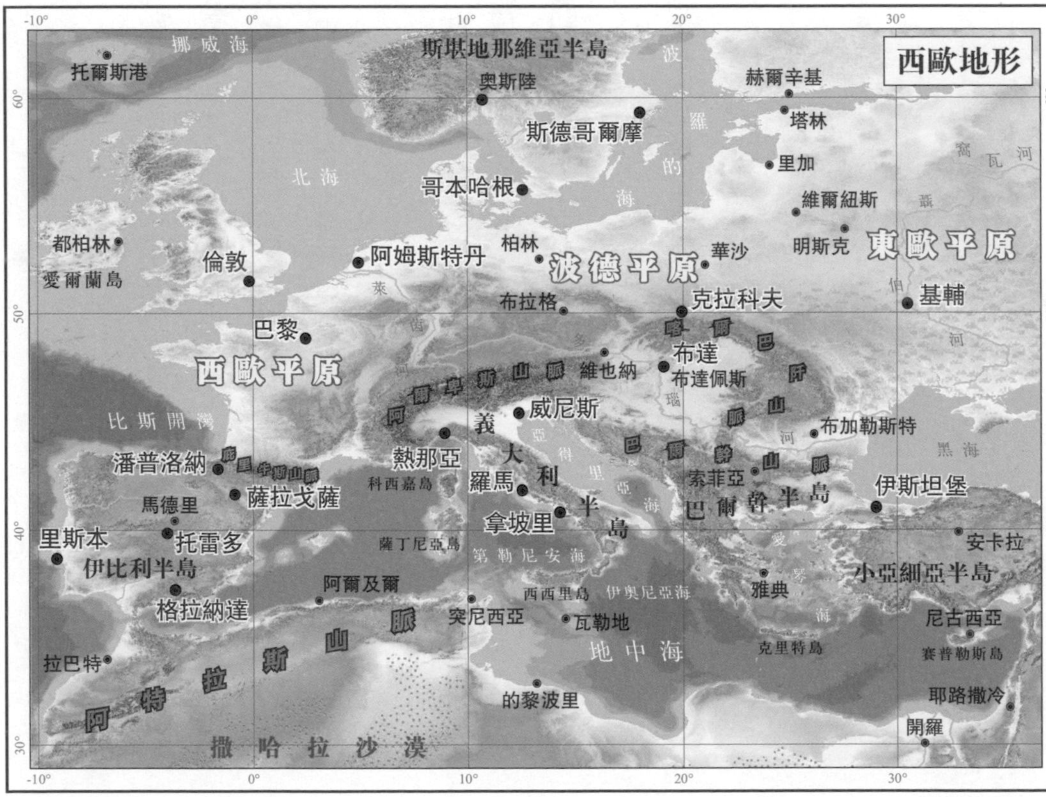

明，只能是游牧民族的天堂。

但匈奴人的到來，引起歐洲草原上的連鎖反應。當匈奴人渡過窩瓦河，進入黑海北岸東部，擊敗那裡的東哥德人（日耳曼的一支）時，其他的日耳曼人（西哥德人、汪達爾人、勃艮第人、盎格魯人、撒克遜人和法蘭克人等）為了躲避匈奴人的進攻，像潮水一樣湧入了羅馬帝國境內。西羅馬帝國在這些蠻族的入侵下，最終於西元四七六年滅亡。

日耳曼人沒文化，也不識字，還像以前那樣燒殺搶掠，歐洲人（指日耳曼人統治的西歐部分）過著地獄般的日子，從此進入黑暗的中世紀。

後來日耳曼人發現，搶劫不如收稅，於是想仿效羅馬人建立國家。但日耳曼人沒有這個能力，大多數人都是文盲，知識都掌握在教會手裡，於是向教會請教，歐洲大地上一時湧現出眾多的日耳曼國家。其中以法蘭克人建立的法蘭克王國（西元四八一年～八四三年）為代表，占據歐洲西部大片的土地。法蘭克王國後來一分為三：西法蘭克、中法蘭克和東法蘭克。這三個法蘭克王國分別奠定了法國、義大利和德國的雛形。

羅馬帝國衰落時期，執政者為了加強控制，曾將基督教定為國教，但教權一直控制在政府權力之下。這次日耳曼人像學生一樣向教會請教怎麼建國，教會從生活、法律、宗教方面對蠻族實施全方位改造，並給各個日耳曼國王辦加冕儀式，無形之中把教權凌駕於王權之上。

國王們後來醒悟了，不想受教會控制，有些起來反抗。教會畢竟是從羅馬時代混過來的老江湖，立即號召其他國王來討伐。這樣一來，那些反抗的國王只有老老實實聽話的份了，於是羅馬教皇成為權力至高無上的人。

但別忘了，東羅馬帝國還在呢，從法理上說，他們才是羅馬帝國的繼承者，現在蠻族居然要當羅馬人的統治者，這當然不行。就像南宋時期，南宋認為自己是正統，而金人占領了華北，認為他們才是中原的皇帝，於是兩邊的矛盾就產生了。東羅馬帝國雖然憑獨特的地理位置，在蠻族入侵時倖存下來，但根本無力收復故土，所以最後和日耳曼人達成協議，不會西征，專心對付另外兩個敵人：北邊的斯拉夫人和東邊的波斯人。

更大的矛盾在宗教方面，君士坦丁堡有一個教皇，現在羅馬又冒出一個教皇，同一個基督教怎麼能有兩個教皇？為了表示正統，他們自稱東正教。東正教後來被俄羅斯繼承，俄羅斯一直不被歐洲人認可，除了政治因素外，宗教也是因素之一。

但日耳曼人畢竟是蠻族出身，一直過著游牧民族的生活，沒有能力統治大片的土地，於是他們採用了封建制。

封建制的最高統治者當然是教皇，教皇把土地分封給國王，國王向教皇宣誓效忠。當然教皇的分封主要是儀式上的，沒有真正掌握世俗權力，但有了這個儀式，教皇可以在各個國王之間縱橫捭闔，以達到對世俗權力的控制，更重要的是達到思想文化方面的控制，以保證教會的利益，封建制主要體現在國王和他的臣屬之間。

王國之內的貴族主要分為國王、領主、騎士三個等級。首先，國王把土地分封給大領主，大領主向國王宣誓效忠，包括向國王進貢和應國王徵召作戰；大領主又把土地分封給騎士，同樣的，騎士向大領主宣誓效忠，除了向大領主進貢外，大領主需要作戰時應召；騎士拿到土地後，租給農民耕種和居住，向他們收稅並提供保護。

領主有大有小，就有爵位的高低。國王可以稱為大領土，就是王爵。中國人在近代翻譯西方的爵位時，發現當時的英國歷史，影響最大的爵位恰好大致分為五等，就借用了中國歷史上的公、侯、伯、子、男來翻譯。但歐洲人的爵位是層層分封的，和中國完全不同，例如公爵可以封別人為侯爵，侯爵可以封別人為伯爵，而中國的公、侯、伯、子、男都是由周天子分封，彼此間沒有從屬關係。

和中國封建制具有本質不同的是，歐洲的領主和臣屬之間是契約關係，而不是人生依附關係。中國的周朝，「普天之下，莫非王土，率土之濱，莫非王臣」。名義上，天下的每一寸土地都是周王的，每一個人都是周王的臣民，諸侯只不過是替天子管理某一片土地。而歐洲不是，歐洲人說：「國王的國王不是我的國王。」最關鍵的是，歐洲的國王和封建領主之間也是一種契約關係，國王做不到一言九鼎，各大領主組成一個議會，參與國家的治理，左右著國王的一舉一動。一句話總結，歐洲統治者的權力是有限的，這種權力的制衡正是來自古臘希和古羅馬的傳統。

說到封建制，需要注意的是，我們經常把中國從秦朝到清朝這一段歷史稱為封建社會，還用「封建專制」形容這一段歷史時期。這實在是自相矛盾，封建就是分封，分封就是分權，和專制是相對的，中央集權才叫專制。之所以有這種自相矛盾的說法，正是現代中國人在研究歷史時，套用了馬克思（Karl Marx）關於人類社會發展的「五階段論」：原始社會、奴隸社會、封建社會、資本主義社會、共產主義社會。馬克思研究的是歐洲歷史，用這五種形態描述歐洲歷史問題不大，但如果以此劃分中國歷史，就是生搬硬套了。事實上，中國古代史只有一個明確的分水嶺，就是秦朝，秦朝以前是分封制，秦朝至清朝是中央集權制，可以說是帝王專制。

按照馬克思的觀點，羅馬帝國時期屬於奴隸制，中世紀屬於封建制。中世紀長達一千年，被歐洲人稱為「歐洲黑暗時代」，因為相較於古希臘和羅馬，中世紀的發展完全停滯，最根本的原因還是教會壟斷了一切思想和文化。思想和文化是一切科學技術的源泉，在教會的掌控下，歐洲像一團死水一樣，生活極其落後。要打破這種局面，只有解放思想、發展文化這一條路。

第三章

尋找通往東方的道路

在這一千年的時間裡，歐洲人不停和教會鬥爭，但總歸失敗居多。直到十四世紀，還是東羅馬人為他們送來了希望。

東羅馬夾在歐洲和中東之間，一直面對來自東方的巨大壓力。波斯帝國衰落後，七世紀初，一支來自半島的阿拉伯人興起，依靠著伊斯蘭教的力量，席捲整個中東，建立一個橫跨亞、非、歐三洲的阿拉伯帝國。伊斯蘭教和基督教一樣，同樣發源於古老的猶太教，但這兩支宗教從一開始就勢同水火。

耶穌（Jesus）原本是猶太人，出生於地中海東岸的伯利恆（耶路撒冷以南），當時這個地方屬於羅馬帝國。羅馬的公民有很多參政的權力，但這個公民僅限於羅馬城及附近的一些人，那些被征服地區的人不但沒有公民權，反而還是被羅馬政府掠奪的對象。為了反抗羅馬政府的殘暴統治，耶穌在原始猶太教的基礎上創立基督教。基督教不僅為猶太人打開一扇窗，也為廣大被征服地區的人民帶來了希望，於是迅速傳播開來。羅馬政府一開始只是打擊，結果愈打擊教眾愈多，最後無奈接受，把它納為政府控制之下。而穆罕默德（Muhammad）出生於阿拉伯半島紅海東岸的麥加城，是阿拉伯人。阿拉伯人和猶太人同源，都屬於閃米特人的一支。阿拉伯半島的生存條件比地中海沿岸差多了，這裡絕大部分被沙漠掩蓋，部族林立。穆罕默德出生時，半島上有原始宗教、猶太教、基督教，教派林立，部族之間經常為了各自利益彼此殘殺，於是決心創立一支阿拉伯人的宗教，就是伊斯蘭教。正是伊斯蘭教，迅速將半島上的阿拉伯人統一起來，產生極大的戰鬥力。基督教原本就是為了爭取權力而生的，到了後來更是權力無邊，而伊斯蘭教從一開始就是政教合一，這兩個宗教的矛盾歸根結柢是利益之爭。

另一方面，正是因為利益，這兩個宗教總是希望自己的教眾愈多愈好。西方人始終不明白為什麼中國人不信教，中國人同樣不明白為什麼西方人非要入教。中國的道教，除了最開始時製造過混亂（例如黃巾起義）外，受老子哲學思想的影響，絕大多數時候都是抱著出世的心態，修行也是鑽進深山老林，與世無爭。面對俗世，從來都是一派高冷的樣子，一副「你愛入不入，老子沒功夫搭理你」的架勢。道教人士盛世上山修行，亂世下山救人，這是統治者最喜歡的狀態，也是老百姓最喜歡的狀態，出家人就應該像個出家人的樣子嘛！基督教和伊斯蘭教不同，一聽說你沒入教，立刻一副憐憫的姿態：「天啊！這是上帝的棄民啊！趕快入教救贖自己吧！」他們從一開始就要參與政治，爭取權力，最終演變成利益之爭，也就不奇怪了。

再補充一點，近代以來，西方人用槍炮打開了中國的大門，與槍炮同時進來的還有傳教士，他們千方百計想把基督教傳入中國，最終沒有成功。因為基督教不比儒家文化先進，孔子比耶穌早生五百年，耶穌誕生時，儒學經過五百年的發展，早已成熟，而且這時離漢武帝獨尊儒術也過了一百多年，想要讓基督教替代儒家文明是絕無可能。舉個例子，基督教是一神教，只能拜上帝，跪拜其他神明都是違規，包括祖宗，中國人無論如何是不能接受的。中國人對待宗教一向寬容，你今天可以去廟裡燒香，明天可以去道觀磕頭，不會有人說什麼。但在西方不行，如果是在中世紀，這是異端行為，會被處死。

伊斯蘭教能迅速團結那麼多人，是因為他們更講平等，穆罕默德稱自己只是個先知，是凡人，不是神，耶穌也一樣。這讓把耶穌奉為神靈的基督教難以接受，於是矛盾開始激發。當阿拉伯人北上攻占耶路撒冷時，羅馬教廷為了奪回聖城，發動十字軍東征（十字架是基督教的象徵，每個參加出征的人胸前和臂上都佩戴「十」字標記，故稱「十字軍」），所到之處屍橫遍野。九次十字軍東征殺戮無數，更為兩個宗教結下了血海深仇。第四次東征時，十字軍甚至洗劫了盟友東羅馬帝國，讓本已羸弱的東羅馬帝國雪上加霜。

當阿拉伯人在中東開始衰落時，一支突厥人填補了權力真空。突厥人發源於阿爾泰山，被唐朝擊敗後西遷。其中一支以塞爾柱部落為首的突厥人進入伊朗高原和兩河流域，做為統治條件，塞爾柱人接受了伊斯蘭教，建立塞爾柱帝國。塞爾柱人把重心放在中東，於是一個叫花剌子模的國家在中亞興起。花剌子模不斷西進，最終占領伊朗高原，突厥人被擠壓到小亞細亞半島上。十四世紀，蒙古人西征，橫掃一切，但很快就衰落了。一個叫鄂圖曼的突厥部落興起，統一了小亞細亞半島上的各個突厥部落，建立鄂圖曼帝國。

鄂圖曼帝國建立後，不斷蠶食東羅馬帝國的土地。阿拉伯帝國最強大時，包括阿拉伯半島，從伊朗高原到地中海東岸，再到地中海南岸的北非，甚至歐洲伊比利半島的南部，都是他的勢力範圍。雖然阿拉伯帝國最終崩潰，但這些地方經過穆斯林幾百年的統治，已經被伊斯蘭化了。而鄂圖曼帝國是個伊斯蘭國家，生活在東羅馬帝國的人開始緊張了，大批東羅馬人帶著古希臘和古羅馬的藝術珍品和文學、歷史、哲學等書籍，紛紛逃往西歐避難。一些東羅馬的學者在義大利佛羅倫斯辦了一所「希臘學院」的學校，講授希臘輝煌的歷史和文化。西歐人頓時眼前一亮，於是許多學者要求恢復古希臘和羅馬的文化和藝術。這種要求就像春風，慢慢吹遍整個西歐，文藝復興運動由此興起。一千五百年前希臘人播下的科學種子，終於要生根發芽了。

但光有種子不行，還需要傳播種子的力量，好在這個不是問題了。十二世紀，阿拉伯人把中國人的造紙術傳到歐洲，歐洲的教育才有機會普及。在此之前，歐洲人使用的是羊皮紙，價格極其昂貴，只有教會才用得起，歐洲上至達官貴人，下至黎民百姓，大多是文盲。當中國士人們在吟誦唐詩、宋詞時，歐洲騎士們卻目不識丁。十三世紀，阿拉伯人又把中國的印刷術傳到歐洲，《馬可・波羅遊記》出版，資訊的傳播變得比以往任何時候迅捷而廣泛。阿拉伯人無形之中做的兩件事，彷彿是專為歐洲文藝復興準備的。幾乎同時，中國的指南針也被阿拉伯人傳入歐洲，可以說萬事俱備，只欠東風了。

文藝復興解放了歐洲人的思想，只有思想解放了，生產力才會跟著爆發，以達到「人盡其才，物盡其用」的功效。例如春秋戰國時的百家爭鳴，民國時期大師輩出，改革開放後的經濟發展，都是明顯的例子。相反的例子是晚清的「洋務運動」，採取「中學為體，西學為用」的政策，在沒有解放思想的情況下，僅是引進西方技術，註定不會持久。科學是不斷發展的，技術是需要不斷創新的，如果大多數中國人還停留在過去那套君君臣臣、父父子子的傳統思想當中，註定不會去思考科技創新。

文藝復興不是一蹴而就，從十四世紀開始，直到十六世紀，前後持續了三百年，其中的原因就是宗教勢力的反撲。科學帶有天生的客觀性，和宗教具有與生俱來的矛盾。一個相信科學的人絕不會再迷信宗教的權威，歐洲的知識分子抬出古希臘的科學，也是為了打破教會對一切事物的話語權。羅馬教廷當然不會坐視，把一切不符合宗教利益的科學行為都視為異端邪學，有的人甚至因此而死，例如布魯諾（Giordano Bruno）。

也是因為文藝復興，讓歐洲人打開眼界，才發現自己居然這麼落後，而東方早已把他們遠遠拋在身後，尤其是傳說中的中國，按《馬可．波羅遊記》的說法，那裡遍地黃金，非常富有。得益於古希臘的文化基因，歐洲人天生具有海洋商業文明的嗅覺，特點就是哪裡有錢就往哪裡跑，既然東方富有，就去東方尋找財富。只是，強大的鄂圖曼帝國橫亙在中間，歐洲人既去不了印度，更到不了中國。

按傳統路線，歐洲人去往東方只有兩條路。一條是陸路，走地中海東岸，過兩河流域，越伊朗高原，再經過中亞，然後可以到達中國；另一條從埃及，過紅海，入印度洋，走海路。

這時統治兩河流域是土庫曼人建立的黑羊王朝，廣義上講，土庫曼是突厥的一支，遷移到這裡的原因和鄂圖曼一樣，連信仰也一樣，都是伊斯蘭教。而統治伊朗高原到中亞地區的是帖木兒帝國，同樣信仰伊斯蘭教。帖木兒帝國是在伊兒汗國的廢墟上建立起來、由蒙古人控制的帝國，帖木兒雖是蒙古人，但早已伊斯蘭化。從陸路，對歐洲人來說無疑是送死。

與此同時，從地中海東岸到北非，包括埃及，經過阿拉伯人幾百年的統治，也都阿拉伯化了，或者說伊斯蘭化，在他們眼裡，信仰基督教的歐洲人是異教徒，是要被消滅的對象。

十五世紀初，鄂圖曼越過愛琴海，攻占巴爾幹半島的絕大部分地區，東羅馬帝國被包圍，原本是歐洲人內海的地中海，大部分已經成為穆斯林的天下。歐洲人雖然反對教會的權力，但不會反對宗教本身。無論從信仰還是經濟上，歐洲人需要突圍，而那些原先在地中海混得風生水起的海洋國家如威尼斯、熱那亞、拿坡里等，一時難以捨棄傳統利益，反而是位於伊比利半島上的葡萄牙和西班牙，因為在地中海沒有傳統利益，率先向大洋發起尋找新航路的運動。

伊比利半島同樣資源貧乏，不適合農業種植，如果沒有貿易，這兩個國家都會貧弱不堪，更重要的是，這裡還是抵抗北非穆斯林入侵的前線，如果不尋找出路，做為基督徒的歐洲人命運堪憂。

最先吹起大航海時代號角的是葡萄牙人，相對於西班牙來說，葡萄牙國土狹小，資源更少，更需要到海外尋求財富。另一個原因，這時的西班牙仍一分為三：西部的卡斯提爾王國、東部的亞拉岡王國、北部的納瓦拉王國，而南部還在穆斯林的手裡，統一的路上仍然紛爭不斷，無暇他顧。

但和風平浪靜的地中海不同，大西洋波濤洶湧，氣候變化多端，一路充滿凶險。在遠洋探險前，葡萄牙人還需要解決幾個問題。

一四一五年八月下旬，葡萄牙國王約翰一世（John I of Portugal）親率一萬九千陸軍、一千七百海軍和二百艘戰艦，攻克了北非摩爾人的重要據點休達。摩爾人是西班牙人和柏柏爾人的混血，而休達對歐洲人來說極其重要，它直接控制著地中海連接大西洋的出入口——直布羅陀海峽。此時歐洲的傳統大國大多還在地中海沿岸，休達在摩爾人手上，等於歐洲人被困死在地中海，現在葡萄牙人把這個枷鎖打開了，歐洲人的視線就不再局限於地中海，而是轉向大西洋了。

這次戰鬥中，約翰一世的兒子，二十一歲的王子亨利（Prince Henry the Navigator，也譯作恩里克）

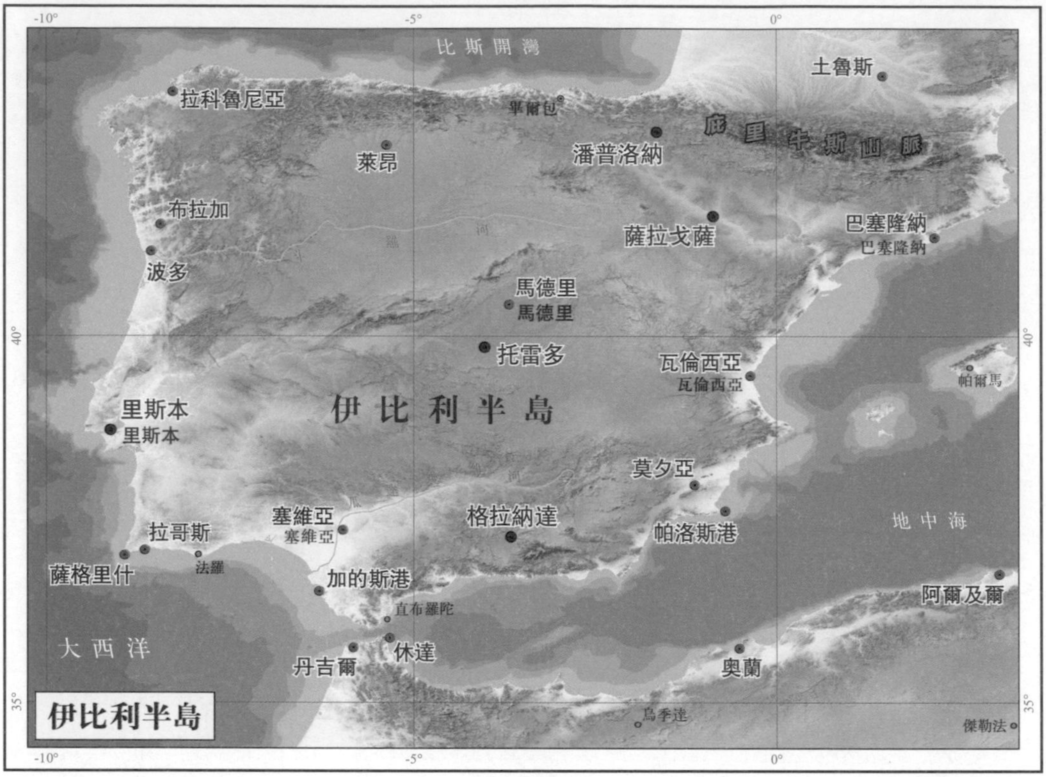
-10°
-5°
0°
40°
35°
比斯開灣
土魯斯
拉科魯尼亞
畢爾包
庇里牛斯山脈
潘普洛納
萊昂
布拉加
薩拉戈薩
巴塞隆納
巴塞隆納
波多
馬德里
馬德里
托雷多
瓦倫西亞
瓦倫西亞
帕爾馬
里斯本
里斯本
伊比利半島
莫夕亞
塞維亞
塞維亞
格拉納達
地中海
拉哥斯
法羅
帕洛斯港
薩格里什
加的斯港
直布羅陀
阿爾及爾
大西洋
丹吉爾
休達
奧蘭
烏季達
傑勒法

伊比利半島

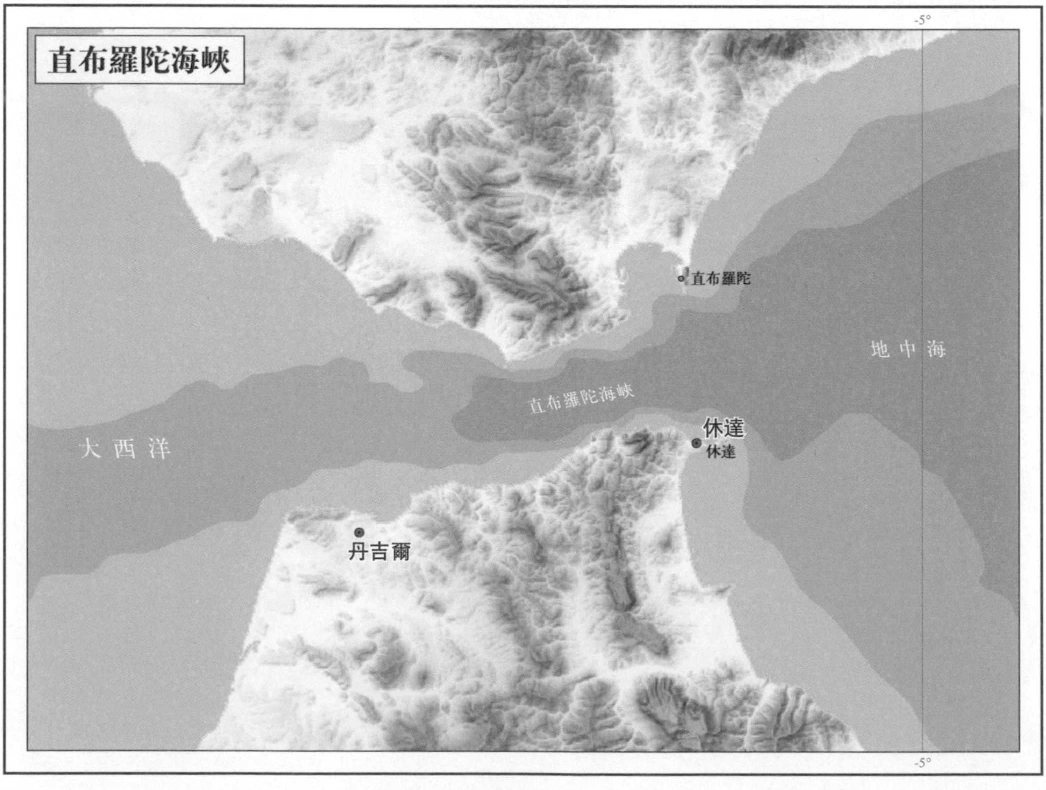
-5°
直布羅陀
地中海
直布羅陀海峽
大西洋
休達
休達
丹吉爾

直布羅陀海峽

也參加了。亨利王子無心政治，卻見多識廣，二十歲時就遊遍歐洲，拜見過羅馬教皇、卡斯提爾的胡安二世（Juan II de Castilla）、神聖羅馬帝國皇帝西吉斯蒙德（Sigismund, Holy Roman Emperor）、鄂圖曼帝國的蘇丹穆拉德二世（Murad II）和君士坦丁十一世（Constantine XI Palaiologos），還參加了神聖羅馬帝國軍隊在波希米亞鎮壓胡斯派的戰爭。

兩年後，摩爾人反攻休達，亨利率兵救援。趕走摩爾人後，亨利王子在休達停留了三個月。這三個月裡，他從當地人口中得知，有一條古老而繁忙的商路可以穿過撒哈拉沙漠，經過二十天行程就可以到達樹林繁茂、土地肥沃的「綠色國家」（因森林眾多而有此稱號，即在今幾

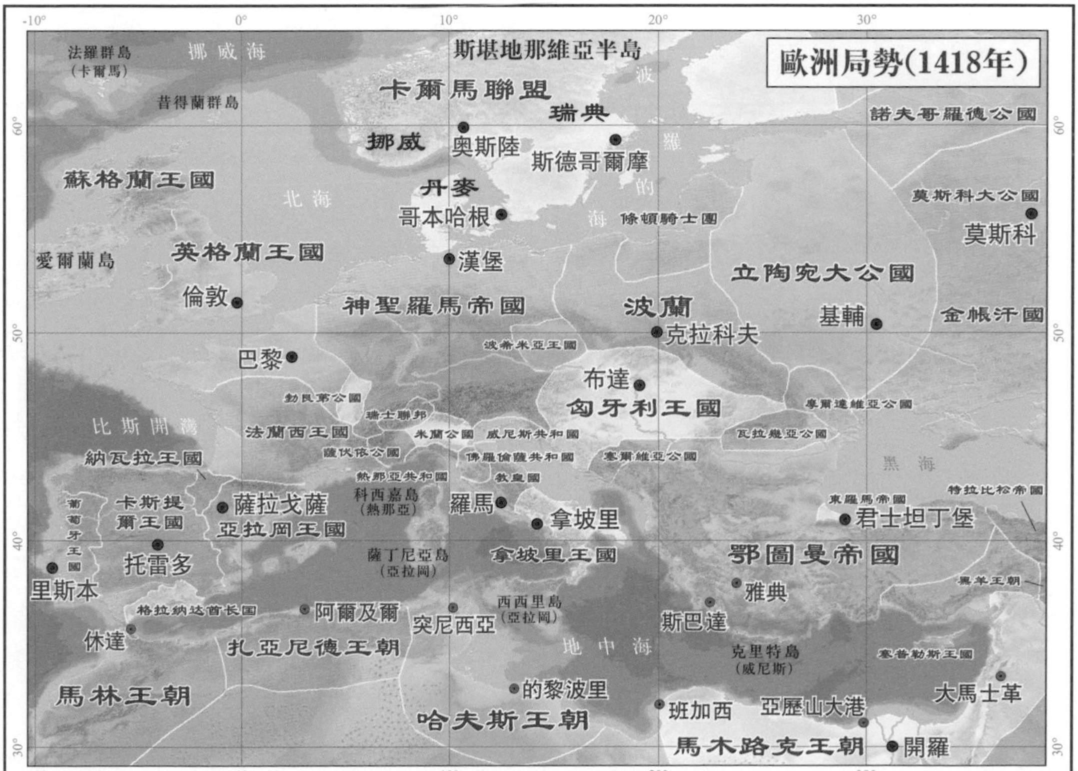

內亞、甘比亞、塞內加爾、馬利南部和尼日南部），從那裡可以獲得非洲的胡椒、黃金和象牙。葡萄牙人對從陸路穿過沙漠沒有經驗，於是亨利王子有一個大膽的想法，從海路到達「綠色國家」。這一主張得到國王約翰一世的贊同，封他為騎士，隨後又加封為維塞烏公爵和科威尼亞領主。亨利王子對這些頭銜毫無興趣，他在靠近聖文森角一個叫薩格里什的小村子定居下來，並創辦了一所航海學院，培養本國水手，提高他們的航海技藝；設立觀象臺，網羅各國的地理學家、地圖學家、數學家和天文學家共同研究，制訂計畫、方案；廣泛收集地理、氣象、信風、海流、造船、航海等種種文獻資料，加以分析、整理，為己所用；建立旅行圖書館，其中就有《馬可．波羅遊記》，還蒐集了很多地圖，並在此基礎上繪製新地圖。隨後，亨利王子在拉哥斯修建港口，做為他的航海基地。

就這樣，改變歐洲人命運的大航海時代在亨利王子的帶領下正式開始。

第四章

歐洲大航海時代的開啟者——亨利王子

一四一八年，亨利派出第一支探險隊，向南尋找傳說中的幾內亞。當時歐洲人的地圖只有歐洲、西亞和北非，除此之外的世界一概不知。

按常理推測，船隊只要沿著非洲大陸往南航行，就可以繞到撒哈拉沙漠的南部，可是這麼重要的一次行動，整個船隊卻只有一艘帆船，而且亨利也不在船上，為什麼呢？

不只這一次，往後的探險行動中，亨利都沒有親自領隊，而是在拉哥斯坐鎮指揮。因為遠洋航行和在地中海航行不一樣，所需的船隻也不一樣。在地中海航行的船，主要依靠奴隸划槳提供動力，風帆發揮輔助作用。地中海在夏季受副熱帶高壓控制，處於無風帶，冬季也只有單一的西風。而大西洋的風很大，風向不明確，遠洋航行不能隨時補充糧食和淡水，不可能帶那麼多划槳的奴隸，況且人力遠不如風力持續和強勁。所以遠洋出海前，亨利首先要做的是改造船隻的結構和風帆，讓新船隻以風力為主，其風帆還要適應各個方向的風。這些事情需要花費大量時間研究，並不停地試錯。亨利的主要精力投注在這方面，而且剛開始沒有任何經驗，不可能批次生產大量的遠洋帆船。他的職責不是一個船長，手下還管理著研究地理、氣象、信風、海流、造船、航海各個方面的專家，這些工作遠比帶隊出海重要。

從拉哥斯出發，沿非洲西海岸往南，會路過摩爾人的地盤，他們是葡萄牙人的死敵，所以船隊不敢離海岸太近。目的是先到達加納利群島，在那裡獲得補給。葡萄牙人知道，十四年前，西班牙的卡斯提爾王國就占領了那裡。雖然葡萄牙人和西班牙人經常為領土爭端打仗，可畢竟都是基督徒，遠比到穆斯林的地盤安全。

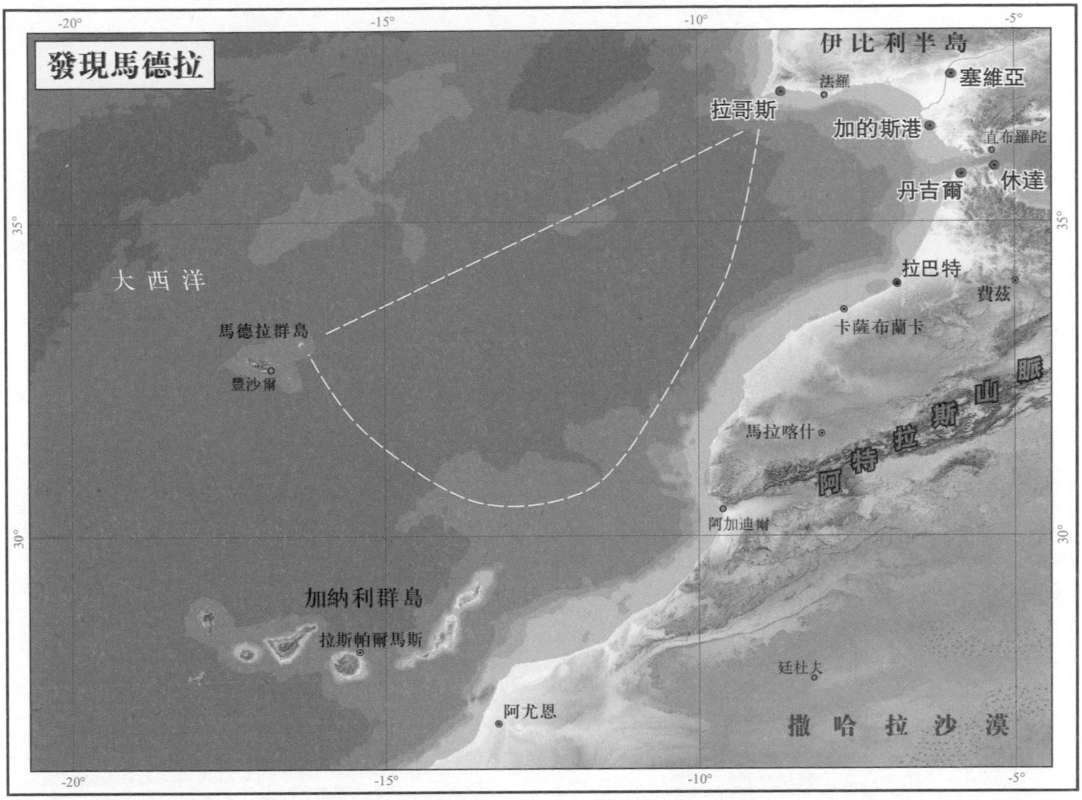
發現馬德拉
伊比利半島
法羅
塞維亞
拉哥斯
加的斯港
直布羅陀
丹吉爾
休達
大西洋
拉巴特
費茲
卡薩布蘭卡
馬德拉群島
豐沙爾
阿特拉斯山脈
馬拉喀什
阿加迪爾
加納利群島
拉斯帕爾馬斯
廷杜夫
阿尤恩
撒哈拉沙漠
-20°
-15°
-10°
-5°
35°
30°

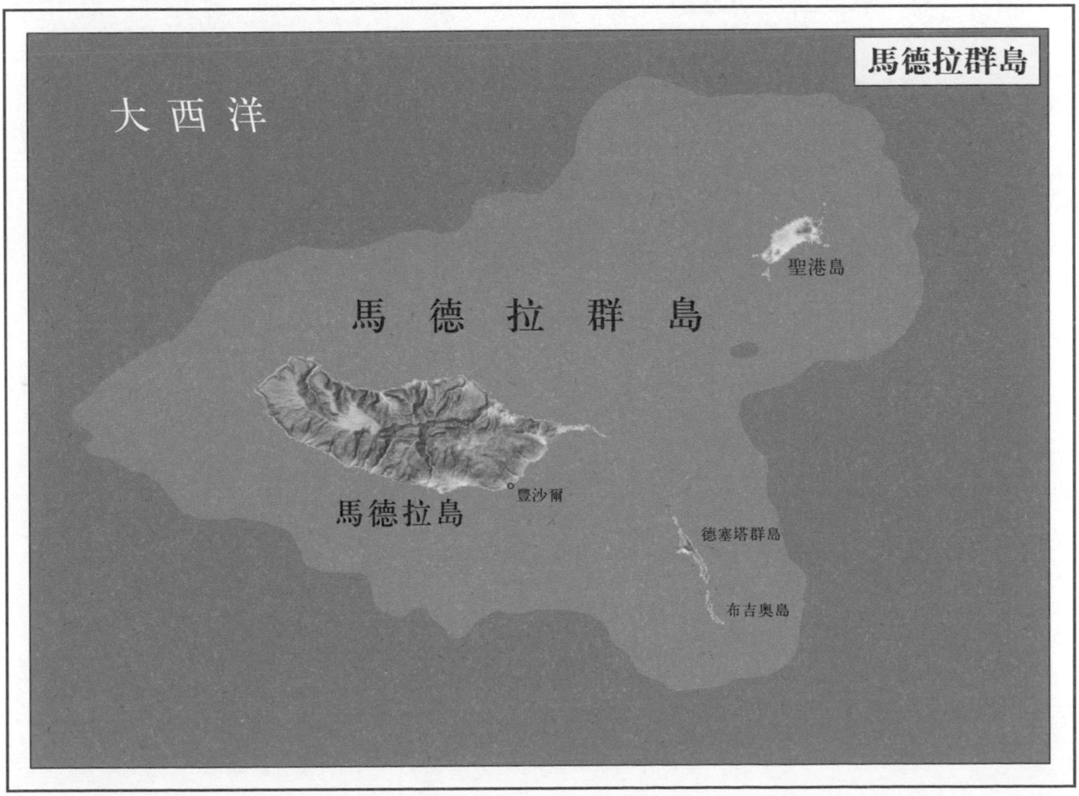
馬德拉群島
大西洋
聖港島
馬德拉群島
豐沙爾
馬德拉島
德塞塔群島
布吉奧島

沒想到的是，就在船隊駛往加納利群島的途中遇上了風暴。船隊順著風暴向西漂移，卻意外地發現了一群島嶼——馬德拉群島。

這是歐洲人遠洋探險的第一個成果，與此同時，遠在東方的鄭和已經四次下西洋，足跡達非洲東岸。單從技術上說，這時的中國遙遙領先，只不過正像龜兔賽跑一樣，在大航海這場競賽中，中國最終成為那隻自大的兔子。

亨利立即向外宣布馬德拉群島歸葡萄牙所有，並在島上殖民。中國人的眼裡，「殖民」一詞總帶著血腥和暴力，是一種極不人道的行為。但對歐洲人來說，這是他們一貫的傳統。歐洲最早發展的三個半島：巴爾幹半島、義大利半島、伊比利半島，總體來說土地貧瘠，養不活這麼多人，當他們發現一片肥沃的土地時，第一個反應就是往那裡殖民。早在古希臘時期，當希臘各個城邦國力鼎盛時，就曾往地中海沿岸殖民。另外，歐洲此時還處於封建社會，和中國封建社會不同的是，他們有個數量龐大的奴隸階層，歐洲貴族的眼裡，這些奴隸沒有任何人身權利，奴隸的主要來源就是戰爭，那些被俘虜的人，包括被征服地區的人，是理所當然的奴隸。管仲說：「倉廩實乃知禮儀，衣食足乃知榮辱。」這句話對全世界通用，這時的歐洲還很窮，生存是第一要務，如果要講什麼道德，也是基督教倡導的那些，但這些道德實施的對象僅限於信仰同一個上帝的基督徒；對異教徒而言，他們認為怎麼殘暴都不過分。

不過馬德拉群島上沒有土著，這個群島由四組島嶼組成：馬德拉島、聖港島、德塞塔群島、布吉奧島。這四組島嶼都是火山島，其中馬德拉島最大，德塞塔島和布吉奧島太小，至今都是無人島。葡萄牙人最早發現的是聖港島，隨後發現了馬德拉島。這裡和地中海幾乎在同一緯度，同樣屬於地中海氣候，四季溫差不大。只是和地中海沿岸不同的是，幾十萬年前的火山在這裡留下了厚厚的一層火山灰，火山灰是非常好的肥料，所以布滿了森林。另外，受洋流影響，這裡的降水比地中海豐富。為了開發，葡萄牙人能想到的辦法就是放火燒山，據說這把火從點燃的那一刻起，整整燒了七年。其實早在葡萄牙人之前，迦太基人和羅馬人就到過這裡，並命名為「木材島」，而葡萄牙語中「馬德拉」就是木材的意思，葡萄牙人應該早就從一些古地圖上知道有這個島，只是不知道準確的位置而已。

燒掉森林後，葡萄牙人開闢農場，種植甘蔗。甘蔗原產於亞洲，十字軍東征時被帶到歐洲，在賽普勒斯島、克里特島、西西里島都有種植，只不過範圍很小。甘蔗喜熱、喜光，對土壤肥力也有要求，地中海的土地貧瘠，不適合生長，而馬德拉島卻非常適合。

葡萄牙人在這裡種甘蔗，成熟後把甘蔗熬成蔗糖，再賣到歐洲。蔗糖對歐洲人來說是一種非常重要的經濟作物，歐洲人對糖的喜愛與生俱來。如果我們看看歐洲人做甜點時往裡面加糖的分量，簡直令人咋舌。中國有些地方喜歡在做菜時加點糖，例如江浙一帶，但量很少，都在可接受的範圍內，和歐洲人比起來簡直是小兒科。

馬德拉群島後來成為重要的蔗糖產地，這裡生產的蔗糖源源不斷地供應到歐洲市場，使這種原本只是貴族享用的奢侈品開始進入普通百姓家。再後來，葡萄牙人從國內引進葡萄種植，於是也盛產葡萄酒。當然，這是後話，開發無人島嶼需要時間，一開始這些島嶼最大的作用是替葡萄牙人的船隊提供補給。在大海上航行，如果沿途找不到補給就會面臨生存危機。

一四二〇年五月，羅馬教廷頒發了一系列文件，任命亨利王子為托馬爾騎士團大統領，管理騎士團的財產，並將騎士團的收入用於航海和冒險事業。

教會對航海事業這麼熱心，是源於一個古老的傳說。一一七〇年，東羅馬帝國皇帝曼努埃爾一世（Manuel I Komnenos）在首都君士坦丁堡收到一封署名為「普萊斯特．約翰」的書信。這位約翰國王在信中向歐洲人描述了一個富庶、強大，且位於東方某個神祕地方的基督教國家。曼努埃爾一世對這個約翰王國聞所未聞，但還是讓人將書信抄錄了若干份，派使者分別送往歐洲各國君主及羅馬教皇。可是，羅馬教皇、各國君主和王公貴族同樣對這個國家一無所知。信中所提到的這個國家面積廣闊，物產豐富，最關鍵的是信仰基督教，這三點讓他們留下了深刻印象。從那時起，聯絡約翰王國反擊穆斯林一直是歐洲人的願望。從十三世紀開始到十六世紀初，歐洲各國為尋找這個神祕的約翰王國，花費近三百年時間，結果一無所獲。直到歐洲人強大，不需要盟友了，這個傳說才消停下去。

對於約翰王國的所在位置，歐洲人一直含混不清，甚至一度把成吉思汗當作約翰國王。到了一三四〇年，曾經到過中國的義大利人喬丹（Jordan of Severac）明確地把「約翰王國」定位在衣索比亞。因此，亨利王子要找到傳說中的約翰王國，還得沿著非洲大陸南下，繞到非洲東邊去。當時歐洲人的認知範圍，僅限於環地中海一圈，至於再往南會碰到什麼，所有人心裡都沒底。

遠洋技術還很落後的十五世紀初，在大洋裡航行有兩個極其重要的關鍵。一是沿大陸邊緣航行，如果船隻碰到事故可以馬上靠岸修理；二是沿途需要穩定的補給點，就算船隊往前什麼也沒找到，還可以原路返回休整。從馬德拉群島往南就是加納利群島，這個葡萄牙人是知道的。加納利群島屬於卡斯提爾王國，這個葡萄牙人也知道。此時的葡萄牙王國和卡斯提爾王國還處於戰爭狀態，為了獲得穩定的補給點，葡萄牙人打算硬搶。

加納利群島比馬德拉群島大多了，面積將近是它的十倍，由七大島嶼組成：大加納利島、特內里費島、拉帕爾馬島、戈梅拉島、耶羅島、蘭薩羅特島、富埃特文圖拉島。

和馬德拉群島一樣，加納利群島也是火山島，同樣有肥沃的火山灰。不一樣的

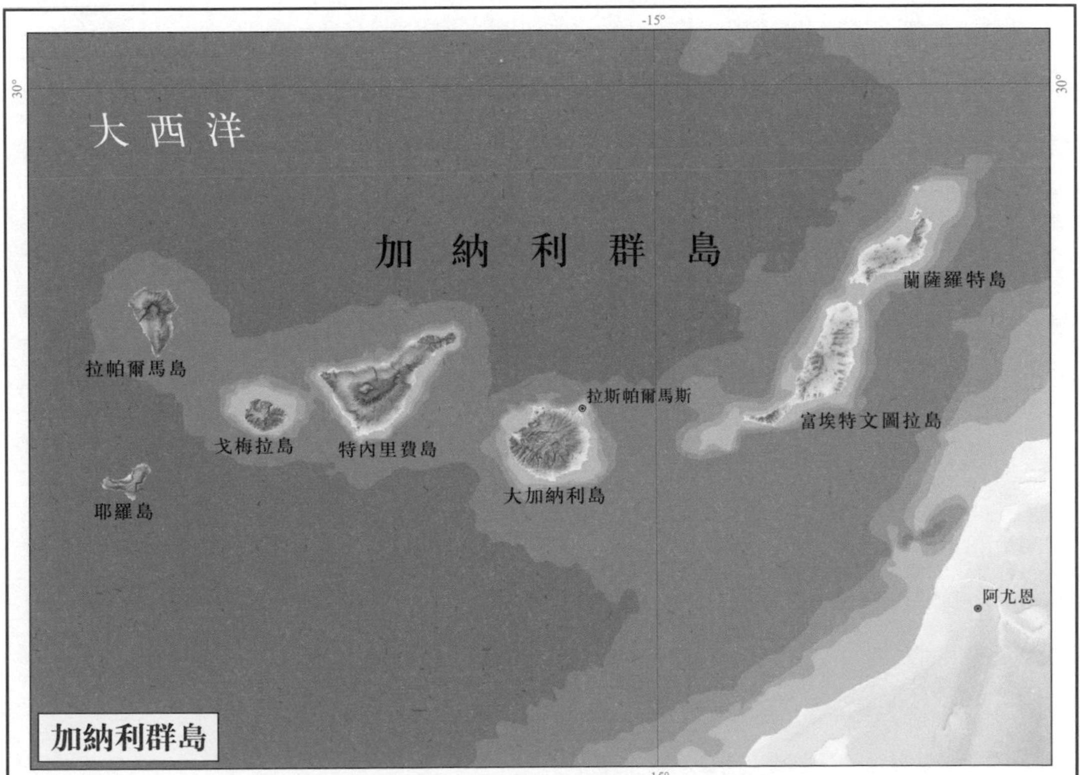

加納利群島

是，這裡離大陸近，島上有原住民。二十多年前，一名法國探險家在卡斯提爾國王的資助下占領這裡，於是就歸了卡斯提爾。這裡離馬德拉群島約五百公里，對遠洋航隊來說，是一個很好的中轉站；離非洲大陸僅一百公里，可想而知，島上的居民正是來自非洲大陸，是歐洲人眼裡的柏柏爾人。卡斯提爾王國占領後，開始往這裡殖民，並把大量土著押送回國當奴隸，導致島上的土著最終滅絕。

我們對加納利群島應該不太陌生，著名作家三毛曾在這裡定居，後來她的愛人荷西（Jose Maria Quero y Ruiz）在拉帕爾馬島潛水時喪生，三毛才離開了這裡。這裡屬於地中海氣候，如果不考慮農業，地中海氣候很適合度假，一年四季不冷也不熱。

亨利王子幾次向加納利群島派兵，都兵敗而回，無奈之下只好放棄。同時，他派出船隊向其他方向探索，希望找到一些其他島嶼做為據點。

一四二七年，往西方探索的船隊發現了亞速群島。亞速群島由九個火山島組成，居住著亞速人和柏柏爾人，葡萄牙人隨後向該群島殖民。不過，與西班牙人不同的是，葡萄牙人的殖民政策總體上比較溫和，所以至今的主體人口還是亞速人和柏柏爾人。當然，客觀原因是葡萄牙國土狹小，沒有那麼多人口充實殖民地，也是不得已而為之。葡萄牙人此時的目標還是往南，還沒有意識到亞速群島對去往美洲大陸的意義，他們在此殖民的目的就是養牛、養羊，種植小麥，以補充國內的物資。

往南最大的障礙是加納利群島正南方的波哈多角，一百年前，加泰隆尼亞（亞拉岡下屬的一個公國）與葡萄牙的航海家曾沿著非洲西海岸向南航行九百公里，一直到波哈多角就不敢再往前了，一船人偷偷地回到歐洲，藉口說遇到種種恐怖的土著，海裡的鹽厚得連犁都犁不開。他們還揚言，凡是通過波哈多角的基督徒都會變成黑人。

波哈多角以南對當時的歐洲人來說是個全然未知的世界，也是恐怖的世界，那裡暗礁密布，巨浪滔天，有神祕莫測的急流。阿拉伯人把這片海域恐怖地稱為「黑暗的綠色海洋」，在中世紀阿拉伯人的地圖上，波哈多角稍南的海岸邊，畫著一隻從水裡伸出來的手，那是魔鬼撒旦的手。

對探險家來說，環境的艱難相對好克服，心理上的恐懼卻一時難以消解。尤其這些出海的人都是虔誠的基督徒，誰都不願意被魔鬼詛咒，成為上帝的棄民。

葡萄牙人的擔心不是沒有道理，波哈多角靠近北回歸線。北回歸線往南就是熱帶地區，那裡的確生活著黑人。歐洲人不是沒有見過黑人，從羅馬時代起，就有黑人被販賣到歐洲當奴隸，在歐洲人眼裡，黑人天生就低人一等，他們擔心自己變成黑人。很多人以為非洲大陸上遍布著黑色皮膚的人，實際上，應該把非洲大陸分為兩部分來看，其中以撒哈拉沙漠為界。撒哈拉沙漠的北邊，西部是柏柏爾人，東部是阿拉伯人（古埃及人已不知所蹤），均屬於白種人，都是閃米特人的一支，並且都信仰伊斯蘭教。撒哈拉以南，就是我們常說的黑非洲，才是黑人居住的地區。撒哈拉沙漠很大，但並非寸草不生，阿拉伯人的駱駝商隊可以穿梭其間，商隊可以為南非洲帶去文明，也會把黑奴賣到歐洲。

不過有一個消息可以讓葡萄牙人充滿動力，就是如果真的見到黑人，說明他們已經繞過穆斯林控制的地帶，也就相對安全了。

一四三四年，經過十幾次嘗試後，亨利王子派遣的遠征隊終於越過波哈多角。所有人都屏氣凝神，但隨著船隊往前行駛，船員沒有發現什麼異樣。但保險起見，面對一無所知的前方，船隊很快就返航了。

第二年，葡萄牙船隊再次出海，這次他們探索到了波哈多角以南一百八十五公里的加內特灣，在那裡發現了人和駱駝的足跡，證明並非荒無人煙。既然有人類在這裡生活，說明不會像傳說中那麼恐怖。

一四三六年，葡萄牙的船隊往南探索到北緯二四度，已經貼近北回歸線了，船隊不敢再往南，而是選擇一個地點登陸（即里奧德奧羅），他們在那裡發現了一支扛著木質標槍的黑人隊伍。船員們立即

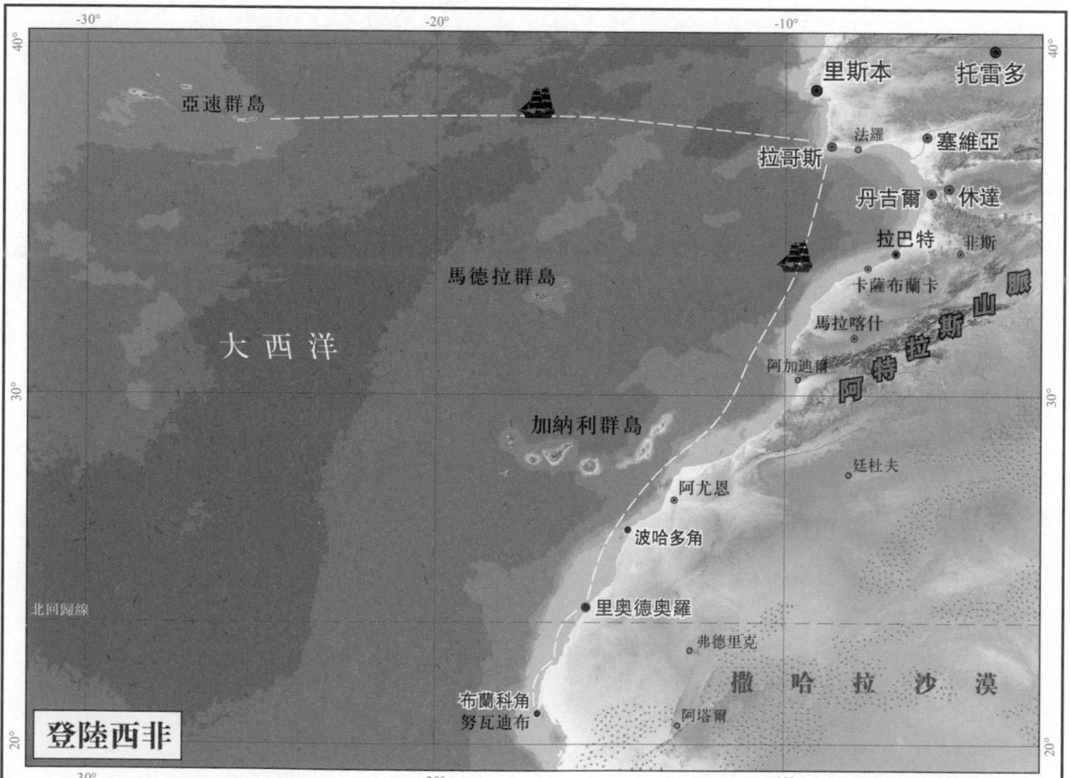

登陸西非

回到船上，繼續往南航行到布蘭科角（今努瓦迪布角）。這是歐洲人第一次直接接觸原始的非洲黑人，而且是在黑非洲大陸上。同時，也標識著葡萄牙人已經完全繞過了扛新月旗的穆斯林世界，不會再碰到宗教上的爭端。

波哈多角過了，北回歸線也過了，葡萄牙人再也沒有心理障礙，可以勇往直前，繼續探索非洲大陸。可就在這時，葡萄牙人與摩爾人起了衝突，亨利王子急召船隊回國，如火如荼的航海事業不得不中斷。

第五章

穿過維德角的世界

一四三七年，為爭奪直布羅陀海峽的控制權，葡萄牙人與摩爾人在丹吉爾展開決戰，結果葡軍主力完敗，斐迪南王子（Ferdinand the Holy Prince，亨利的弟弟）被俘。經此一役，亨利王子不得不暫停遠航計畫，以節省費用。

直到一四四一年，亨利王子派了兩支船隊南下，從里奧德奧羅登陸，抓了十幾名黑人。其中一支船隊把這些黑人當作奴隸運回國；另一支船隊繼續南下，過布蘭科角，發現了阿爾金灣（今努瓦迪布灣）後返航，並帶回一些金砂和鴕鳥蛋。這是歷史上黑奴貿易的開始，後來阿爾金灣成為奴隸貿易的重要據點。運回歐洲的黑奴賣出了好價錢，亨利的遠航行動不再遭受人們質疑，反而一片讚揚聲。在此之前，

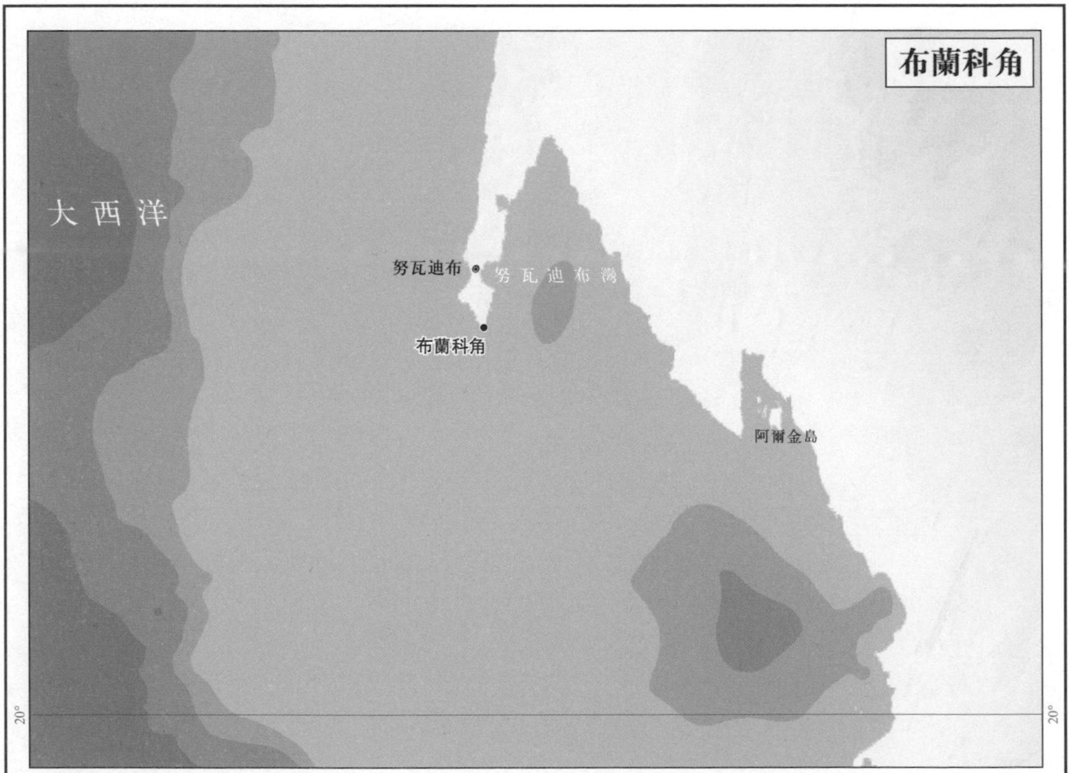

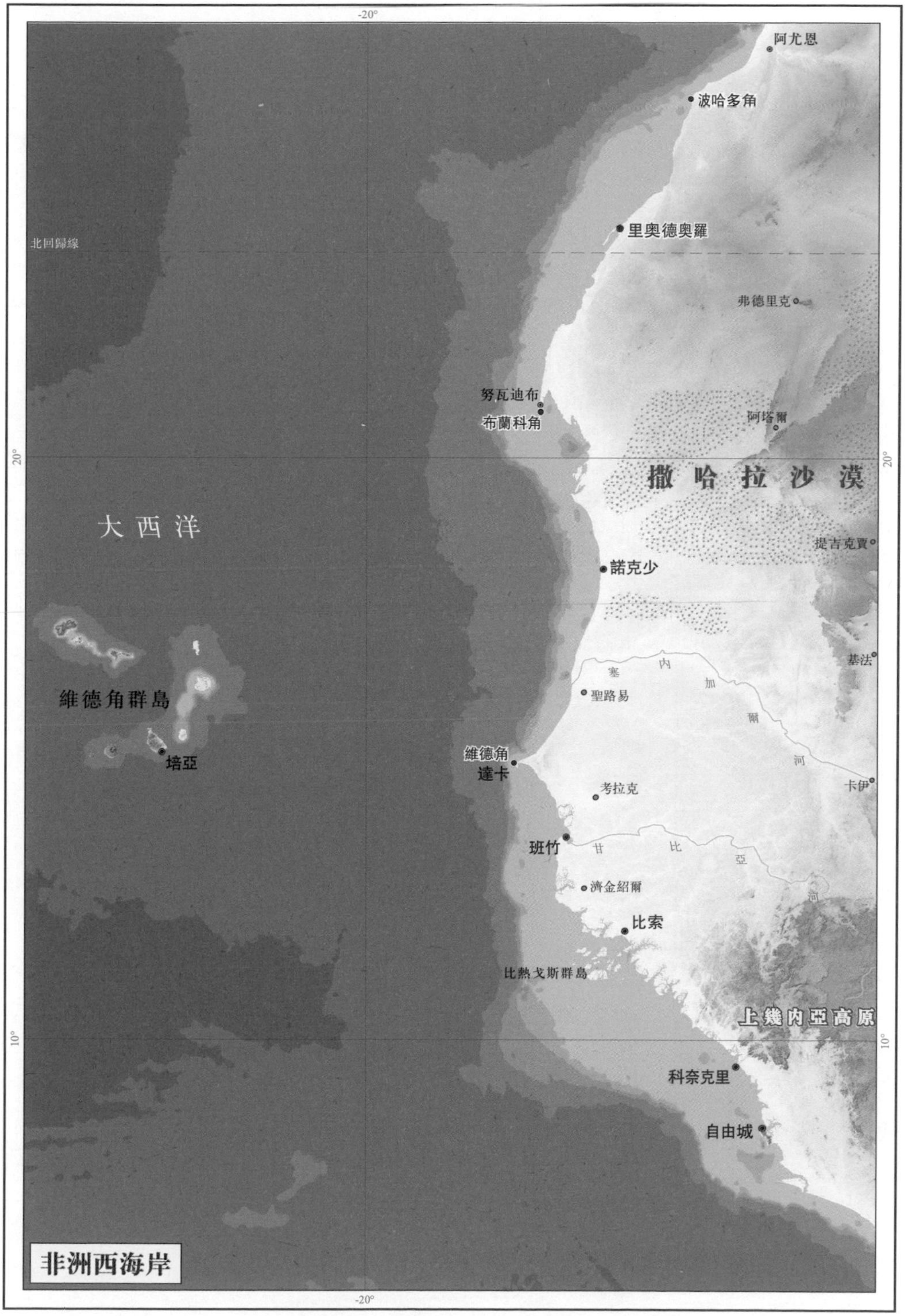

-20°
阿尤恩
波哈多角
里奧德奧羅
北回歸線
弗德里克
努瓦迪布
布蘭科角
阿塔爾
20°
撒哈拉沙漠
大西洋
提吉克賈
諾克少
維德角群島
基法
塞內加爾河
聖路易
維德角
達卡
培亞
考拉克
卡伊
班竹
甘比亞河
濟金紹爾
比索
比熱戈斯群島
上幾內亞高原
10°
科奈克里
自由城
非洲西海岸

亨利因為長年派船隊遠航，花費巨大又無利可圖，就算占領一些渺無人跡的荒島，開發也需要大量時間和金錢，短期內看不到回報。國會裡對他的遠航計畫，經常有反對的聲音。現在好了，有了黑奴貿易，遠航不僅不會賠本，還會大賺特賺。

當然，我們必須說，如果僅從歐洲人的利益出發，黑奴貿易是一本萬利的生意，但對非洲人來說，卻是沉重的災難。

至於奴隸的來源，葡萄牙人不是每次都靠武力抓捕，畢竟動用武力需要冒風險，弄不好自己也會折損人力，如果能買到當然最好。此時的黑非洲還處於早期文明階段，部落林立，各個部落經常發生衝突，抓獲的俘虜就是奴隸。對那些獲勝的酋長來說，與其把這些俘虜處死，還不如賣個好價錢。當然，歐洲人後來學壞了，與其自己流血去抓，不如挑動黑人部落相鬥，這樣黑奴就會源源不斷地產生。僅僅頭五年，葡萄牙人就從非洲運回了上千個黑人。從此以後，奴隸貿易成為葡萄牙人遠航的最大動力。

接下來的事對葡萄牙人來說就是順風順水了。

一四四五年，航海世家迪亞士家族中的迪尼什．迪亞士（Dinis Dias）嶄露頭角，受亨利王子派遣出海，在北緯十六度附近發現了塞內加爾河口。然後，迪亞士繼續往南，繞過非洲大陸最西端的一個海角。迪亞士把它命名為「維德角」，葡萄牙語的意思是綠色的角。這是葡萄牙人穿過撒哈拉沙漠沿海後看到的第一片綠色，這裡生長著樹木和草叢。

同年，另一支船隊發現了甘比亞河口，這裡不僅有綠色，而且人口稠密。

一四四六年，亨利派遣特里斯唐（Nuno Tristão）出海西非，向南推進到北緯十二度一帶，發現了比熱戈斯群島。這片海島離大陸很近，因此人口稠密。特里斯唐禁不住誘惑，開始帶一幫人下船抓人。結果在捕捉黑奴的戰鬥中，特里斯唐被對方的毒箭射死。剩下的人嚇壞了，跳上船就跑，兩個月內不間斷地航行了三千五百公里，一口氣回到里斯本。特里斯唐是歷史上第一位在殖民活動中喪生的有名有姓的冒險家，而其餘部的返航過程也是歐洲人有史以來最遠的一次不靠岸遠航，充分證明葡萄牙輕型帆船的優越性能，在歐洲首屈一指。

這個時候，歐洲人在武力上不占優勢，他們使用的還是火繩槍。火繩槍在戰場上使用起來很不方便，論連發速度還不如弓箭，除非是兩軍對陣，大家都站在固定位置，用三排士兵輪流發射，才能達到連發的效果。但在非洲叢林裡，黑人土著顯然不會和你這麼打仗，他們更擅長在叢林穿梭，打游擊戰。不過總體上講，歐洲在火力上雖不占優勢，但在組織能力、協作能力方面，非洲的原始部落遠遠不是對手。何況這種火力不占優勢只是暫時的，一百年後，歐洲人發明了燧發槍，在戰場上就所向無敵了。火繩槍雖然連發速度不如弓箭，但穿透力強，而且一般人都可以訓練使用。因此，槍的出現，最先倒楣的不是非洲土著，而是穿著鎧甲的歐洲騎士。騎士原本是歐洲封建時代的支柱，隨著槍的出現，騎士倒下了，歐洲的封建制也逐步瓦解，另一個靠大航海發財的階層興起，就是資產階級。

至此，中國的四大發明（造紙術、印刷術、火藥、指南針）全部被歐洲人用到大航海事業上，既改變了歐洲歷史，也改變了世界歷史。可惜的是，中國人發明的這四樣東西，大多是憑經驗，沒有理論支持，發明完就結束了，很少改進。而歐洲人因為有科學支持，在使用的過程中，不斷反覆運算升級，最終把這四樣東西的功效發揮到極致。

比熱戈斯群島事件是個小小的挫折，不能阻擋葡萄牙人前進的腳步。一四四七年，亨利派遣費爾南德斯（António Fernandes）出海西非，向南推進到今幾內亞的科奈克里一帶，這是亨利生前航海探索到達的最遠地方。此後，因葡萄牙財政困難、與西班牙人爭奪加納利群島，以及原攝政王佩德羅（Pedro）王子與新任國王阿方索五世（Afonso V of Portugal）的衝突等原因，西非航海探索事業一度沉寂。

一四四八年，亨利下令在阿爾金島建立據點，葡萄牙人用小麥、布匹和馬換取非洲的奴隸和黃金，並兼營香料。這是歐洲人在西非海岸的第一個殖民據點和移民地點。從此，阿爾金的運作模式成為葡萄牙人開始沿海商貿的典範，後來被荷蘭、英國、法國等國的東、西印度公司紛紛效仿，成為西方商貿殖民的基本模式之一。

從一四一八年到一四五二年，三十多年的航海探索過程中，葡萄牙人的主要目的是尋找財富和打擊穆斯林，而且這兩方面都取得不小的成果，特別是在尋找財富方面，但接下來的一件事卻讓葡萄牙人改變了遠航方向。

一四五三年，鄂圖曼帝國進攻東羅馬帝國首都君士坦丁堡，歷時五十三天，五月二十九日，城破，君士坦丁十一世（Constantine XI Palaiologos）戰死，綿延一千五百年的東羅馬帝國滅亡。隨後，鄂圖曼帝國把首都遷到君士坦丁堡，改了個伊斯蘭化的名字——伊斯坦堡。我們看歐洲歷史，會發現他們的城市很少改名。相反的，中國的歷史名城卻經常改名。原因在於中西文化不同，同樣是「城市」，歐洲的重點在一個「市」字，就是先有商人在此交易定居，後有政府入駐；而中國的重點在一個「城」字，是因政治和軍事而設置的據點，而後才有百姓入住。對歐洲人來說，城市是屬於市民（即古希臘時期的公民）的，改城市名相當於要抹掉一代又一代人的記憶，而歐洲的市民擁有相當權力，實行起來很難；中國要改城市名就簡單多了，只要政治或軍事需要，一個命令就可以實行，完全不必考慮城裡百姓的想法。今天很多人到歐洲旅遊，會驚訝地發現有很多小鎮還保持著中世紀的樣貌，幾百年都沒什麼變化，原因也在於此。

東羅馬滅亡對歐洲人的心理產生巨大打擊，穆斯林的威脅也空前嚴重起來，甚至超過當年的阿拉伯人。與此同時，經地中海東部的商路徹底把控在穆斯林手裡，從東方運來的商品數量大減，價格貴得嚇人。面對這種情況，歐洲人急需尋求一條通往東方的新航路，一是打破穆斯林的封鎖，二是尋找更便宜的貨源。就是從這時起，歐洲各國的航海探險有了明確目標，好在有葡萄牙人打先鋒，技術問題似乎好解決。只是，遠航探險耗資巨大，歐洲一個個彈丸小國都窮得要命，很難拿出大量資金支持遠航事業。我們常說鄭和下西洋，以其當時的技術和實力，遠在歐洲人之上，只是七下西洋後就終止了，實在可惜。原因無他，因為遠航太燒錢，別說歐洲這些小國了，以大明帝國的國力也支撐不了多久。不過歐洲人從古希臘時代繼承過來的商業基因，這一次又發揮了作用。

一四五五年，威尼斯共和國人卡達莫斯托（Alvise Cadamosto）在葡萄牙王國開辦一間對非貿易股份公司，爭取到亨利親王（阿方索五世即位後，亨利王子升級為親王）的批准後，出海西非，航行至甘比亞河口，俘獲大批奴隸而回。

這間股份公司雖然與現代的股份公司還有差距，但把公司化運作模式引入遠航探險，可以極大地吸引民間資本參與。以往遠航都是國家出錢，經常是投入和回報不成正比，長此以往，國家也支撐不起。亨利能持續三十多年，靠的是王子的身分，先是父親的支持，後有哥哥的支持，不然也難以為繼。公司化運作可以解決資金問題，同時能吸引更多人參與遠航探險事業。

卡達莫斯托是第一個在葡萄牙效力、有成就的外籍探險家，他開創那個時代探險家到別國效力的先例，這一點很像中國的戰國時代。他還是第一個詳細記載和描寫遠航探險考察的人，開了後來探險家寫日記的先河。此外，他首次用南十字座來測定緯度，對逼近赤道的航海家幫助非常大。我們知道水手們在大海上航行，四周茫茫一片，分不清東南西北，唯一的參照物就是星座，只要找到星座，就能確定自己的方位。在北半球，水手們常用的星座就是北斗七星或北極星，但一旦過了赤道進入南半球，就看不到北極星了，這時急需另一個星座來確定方位，南十字座恰好發揮了這個作用。

第二年，卡達莫斯托再次出海，中途被風暴吹離了航道，結果在茫茫的大海上，發現一片島嶼。這片島嶼正好與維德角相對，於是被命名為維德角群島，按葡萄牙語的意思就是綠島。因為遠離非洲大陸，島上杳無人煙。維德角群島屬熱帶沙漠氣候，島上沒有什麼資源，但特殊的地理位置，日後成為葡萄牙船隊遠航時重要的中轉站。

在維德角群島一無所獲後，卡達莫斯托帶著船隊轉而去考察甘比亞河，逆流而上百公里，找到當地部族的聚居地，還和他們做了交易。當然，是以物換物的方式。

一四五八年，亨利親王參與了一生中第四次對北非摩爾人的戰鬥，並占領了休達以西的阿爾卡塞。兩年後，亨利親王逝世，享年六十六歲。亨利親王雖然一生從未登上一艘遠洋船隻，但他是歐洲大航海時代的開拓者和奠基人。正是在他的表率作用下，歐洲人才開始有意識、有組織地遠洋航行，並不斷總結經驗，改進技術，最終讓歐洲一個個彈丸小國成為海上強國。有意思的是，就在同年，一位叫瓦斯科・達・伽馬（Vasco da Gama）的人出生在葡萄牙里斯本，他將會改寫葡萄牙人的航海史。正是在亨利親王創造的這種環境下，葡萄牙的航海人才生生不息，後繼有人。

隨後，葡萄牙人用了兩年時間，完成對維德角群島的探索，並往島上殖民。由於殖民的人口很少，今天維德角群島上的居民仍以黑人為主，兼有少量和葡萄牙人的混血兒。

一四六三年，繞過非洲西北最大的拐角後，葡萄牙人繼續向東探索，抵達今賴比瑞亞的蒙羅維亞一帶。葡萄牙人在這裡發現夢寐以求的胡椒，於是把這裡命名為胡椒海岸，胡椒在歐洲比白銀還貴重。

當葡萄牙人的船隊繼續前行時，接下來的發現可說是讓葡萄牙人驚叫連連。從胡椒海岸往東，相繼發現了象牙海岸、黃金海岸和奴隸海岸，這四個海岸讓葡萄牙人一夜暴富。

先說胡椒。歐洲因為土地貧瘠，出產的東西很單一，無非是葡萄、橄欖、小麥等，像胡椒、肉桂、豆蔻、丁香等香料，都不出產，而歐洲貴族們十分沉迷於在食物烹調中添加這些香料。自從穆斯林把控了地中海東岸和埃及後，這些東西變得十分昂貴，連貴族都吃不起了。許多中國人不理解，就算歐洲人再喜歡這些東西，也不至於達到如此癲狂的地步，那是因為中國本土不缺香料，即使用不起熱帶地區出產的這些香料，還有廉價的蔥、薑、蒜，甚至花椒、八角等，試問如果這些東西也沒有，中國人是不是會一日三餐食之無味？找到了胡椒，對葡萄牙人來說相當於找到了黃金。

當時葡萄牙只知道他們快接近赤道，不知道已經到達非洲的熱帶雨林地區，熱帶地區產胡椒這種香料不奇怪；而且，這裡會有成群的大象出沒，象牙是各種高級工藝品最好的原材料，古希臘和羅馬的工藝品技術都很發達，急缺這種高級原材

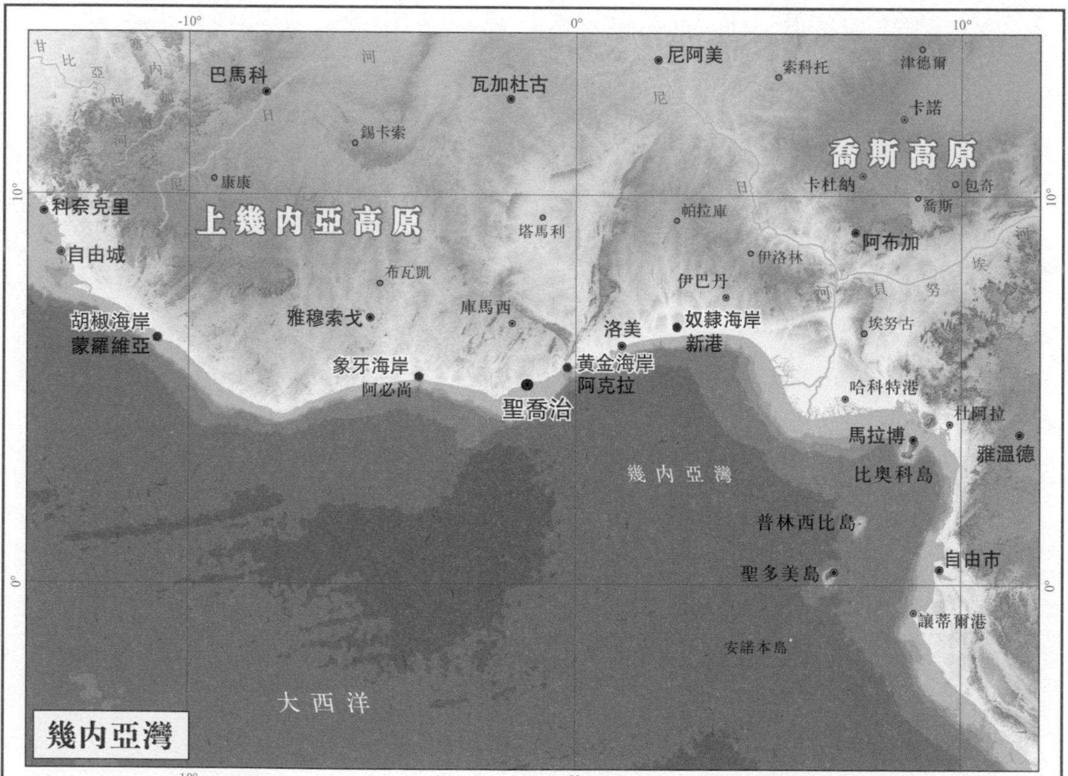

料，同樣能賣個好價錢。

至於黃金就不用多說了，人類很早就認識到黃金的價值，非洲人雖然落後，也知道它的價值。這些黃金，歐洲人可以輕易地用看似璀璨奪目、實則廉價的玻璃製品換到。

奴隸貿易是葡萄牙人一進入黑非洲後最賺錢的生意。當時他們不知道這裡是非洲人口最稠密的地區，也是相對發達的地方。歐洲人能獲得數量巨大的奴隸，如果完全靠武力抓捕，會付出巨大代價。歐洲人之所能源源不斷地獲取奴隸，是源於非洲本地由來以久的奴隸貿易，歐洲人只不過把這個生意做大而已。

第六章

撒哈拉以南的非洲

這裡所說的非洲通常是指撒哈拉以南的非洲。撒哈拉以北，通常把它歸為地中海文明，而沿地中海一帶，因為受巴比倫、埃及、希臘和羅馬的影響，北非的文明程度和歐洲幾乎同步，不存在年代上的差異。但在撒哈拉以南，因為這片世界最大沙漠的阻隔作用，這裡的文明程度相差了幾個層級。

人類文明的發展永遠離不開交流和競爭，哪怕是戰爭，某種程度上也會促進文明升級。歐亞大陸之所以成為人類文明的搖籃，正是幾千年來，不管是歐洲、中亞、印度，還是中國，他們之間的交流沒有中斷過，哪怕這種交流僅靠一條千難萬阻、關山重重的絲綢之路。美洲大陸的印第安人和澳洲的原住民，正是因為與世隔絕，沒有文明進步的動力，才導致歐洲人在那裡所向披靡。

撒哈拉以南的非洲還算好的，畢竟在人類的早期社會，穿越撒哈拉沙漠還是比漂洋過海容易。如果從人類的進化角度來說，早期的人類生活在叢林，以狩獵和採集果子為生。如果要挑一個最適合原始人類居住的地方，毫無疑問是熱帶雨林，這裡水果多，物種豐富，各種野獸出沒，正好是狩獵的對象。但條件好了，人們就會失去前進的動力，文明會停滯不前。我們可以看到，人類的文明古國都產生在溫帶。溫帶的條件不算好，要春耕秋收，要引水灌溉，要組織團隊克服自然條件上的困難，不然難以生存。但這些都是努力可以辦到的，不像寒帶地區，即使再努力，收穫也有限。正是在這個計畫、組織和思考中，文明就誕生了。

非洲的落後不是因為自然條件差，恰恰是因為自然條件太好了。

非洲大陸的氣候以赤道為中心，往南、北兩個方向呈完美對稱：兩端是地中海氣候，南、北回歸線一帶是熱帶沙漠氣候，赤道附近是熱帶雨林氣候，其他的地方，除了衣索比亞高原是山地氣候外，大面積的非洲大陸都是熱帶疏林草原氣候（馬達加斯加島遠離大陸，受信風和地形影響，所以氣候與大陸不同）。早期的非洲人大部分都生活在熱帶雨林和疏林草原。熱帶雨林不用說了，對早期的人類來說，非常適合生存。熱帶疏林草原也是物種的天堂，中國電視紀錄片《動物世界》絕大部分鏡頭就是在非洲的熱帶疏林草原拍攝。

比較熟悉的是溫帶草原，例如內蒙古的草原，即使是雨量充沛的夏季，這裡的草不過剛到腳踝；而熱帶草原的草高在一公尺以上，伴有稀稀

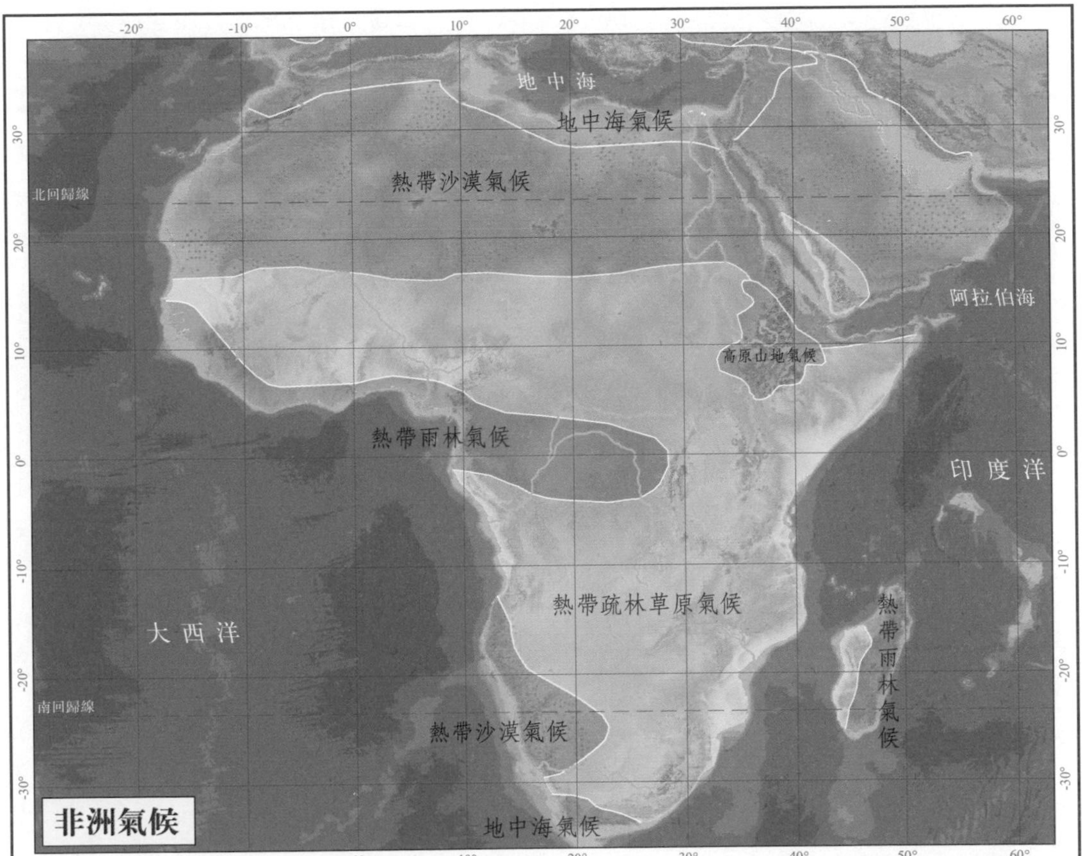

非洲氣候

落落的喬木，這裡的草食性動物成群結隊。做為生態鏈上的一環，草食性動物多了，肉食性動物就自然來了。各種動物一多，生活在這裡的人就不愁沒有吃的。體育競技場上，經常會聽到一句話：「西非黑人擅長短跑，東非黑人擅長長跑。」這個說法不是沒有道理，熱帶雨林裡，非洲人狩獵靠的是爆發力，而在草原上追逐野獸，需要長久的耐力。

追逐野獸畢竟要冒一定的風險，只有壯年男子才能做這種事，老弱婦孺怎麼辦呢？草原不像雨林有那麼多水果，如果沒吃的，他們吃什麼？這個還真不用擔心，草原上還有一種麵包樹。這種神奇的樹結出的果子味道像麵包一樣，烤一烤就能吃。

因為離赤道近，非洲大陸沒有春夏秋冬，只有旱季和雨季。雨季來臨時，萬物甦醒；旱季到來時，草木枯竭。實際是變相地取代四季交替，不然非洲大陸全是森林了。

由於非洲土著都是黑人，常給我們一個誤解，認為非洲很熱。事實上非洲沒有想像中那麼熱，非洲的熱帶雨林全年平均氣溫為攝氏二十五～二十八度，通常不會超過三十四度，熱帶草原氣候雨季的平均氣溫為二十～三十度，旱季的平均氣溫為二十～二十五度。非洲真正熱的地方是撒哈拉沙漠，而且晝夜溫差大，白天能熱死，晚上能凍死，但沙漠不是非洲人常居之地就不說了。總體上講，大部分非洲人居住的地區遠比想像中涼快，可能有人會覺得奇怪，非洲不是靠近赤道，那裡太陽輻射強，怎麼會不熱？這是因為非洲的地形，整個非洲大陸是一片高地，大多數地方海拔在五百～一千公尺，按一般說法，海拔每上升一百公尺，氣溫會下降〇・六度，因而非洲的氣溫並不熱。

所以說，在非洲這片神奇的土地上，人類哪裡還有進化的動力。

非洲人的黑皮膚倒是和太陽輻射有關，愈靠近赤道的地方，太陽輻射愈強，而愈高的地方，大氣層的遮擋少，紫外線也強。非洲這兩項都有了，紫外線的強度可想可知。紫外線會對人的皮膚造成傷害，進而引發癌變，而黑皮膚可以有效阻擋紫外線，對皮下組織形成保護。數萬年的進化歷史中，只有黑色皮膚的人延續下來，而淺色皮膚的人被自然淘汰了。

其實在撒哈拉以南的非洲，不是只有一種黑人。他們的膚色有深有淺，體型也有差異。總體來說，非洲黑人可以分為四種：蘇丹尼格羅人、班圖尼格羅人、俾格米尼格羅人和科伊桑尼格羅人。尼格羅是西班牙語「黑」的意思，簡稱他們為蘇丹人、班圖人、俾格米人和科伊桑人。

蘇丹一詞源於阿拉伯語，原指「權力」，後來把統治某一地區的領袖稱為蘇丹，泛指這位蘇丹統治的土地，即國家。很多穆斯林的國家元首稱為蘇丹，這個國家也稱為蘇丹國。例如鄂圖曼帝國，他們的統治者不稱皇帝，而是蘇丹。在穆斯林的眼中，蘇丹是個神聖的詞語。

蘇丹尼格羅人之所以有這個稱謂，正是這裡後來普遍伊斯蘭化。蘇丹人有三個起源，由西往東分別為尼日河、查德湖和尼羅河，因此又可以分為西蘇丹人、中蘇丹人和東蘇丹人。

東蘇丹人是膚色最黑的蘇丹人，體型細長，大多出現在籃球比賽中。東蘇丹人的發祥地在尼羅河的中上游，就是青尼羅河和白尼羅河交匯的河間地帶，部分東蘇丹人順尼羅河而下，到達埃及，參與了古埃及文明的建設。尼羅河縱貫撒哈拉沙漠，所以埃及是與黑非洲（撒哈拉以南非洲）聯繫最緊密的地區。古埃及既有白人，也有黑人，還有從亞洲過來的黃色人種，各種人種混雜，因此產生混血。也許正是這種包容性，才產生了輝煌燦爛的古埃及文明。

相較於東蘇丹人，西蘇丹人膚色稍淺一點，沒有東蘇丹人那麼高，但體格壯實，更適合踢足球。中蘇丹人介於二者之間，因為地處查德湖一帶，創造了黑非洲少有的農耕文化。注意，是農耕文化，不

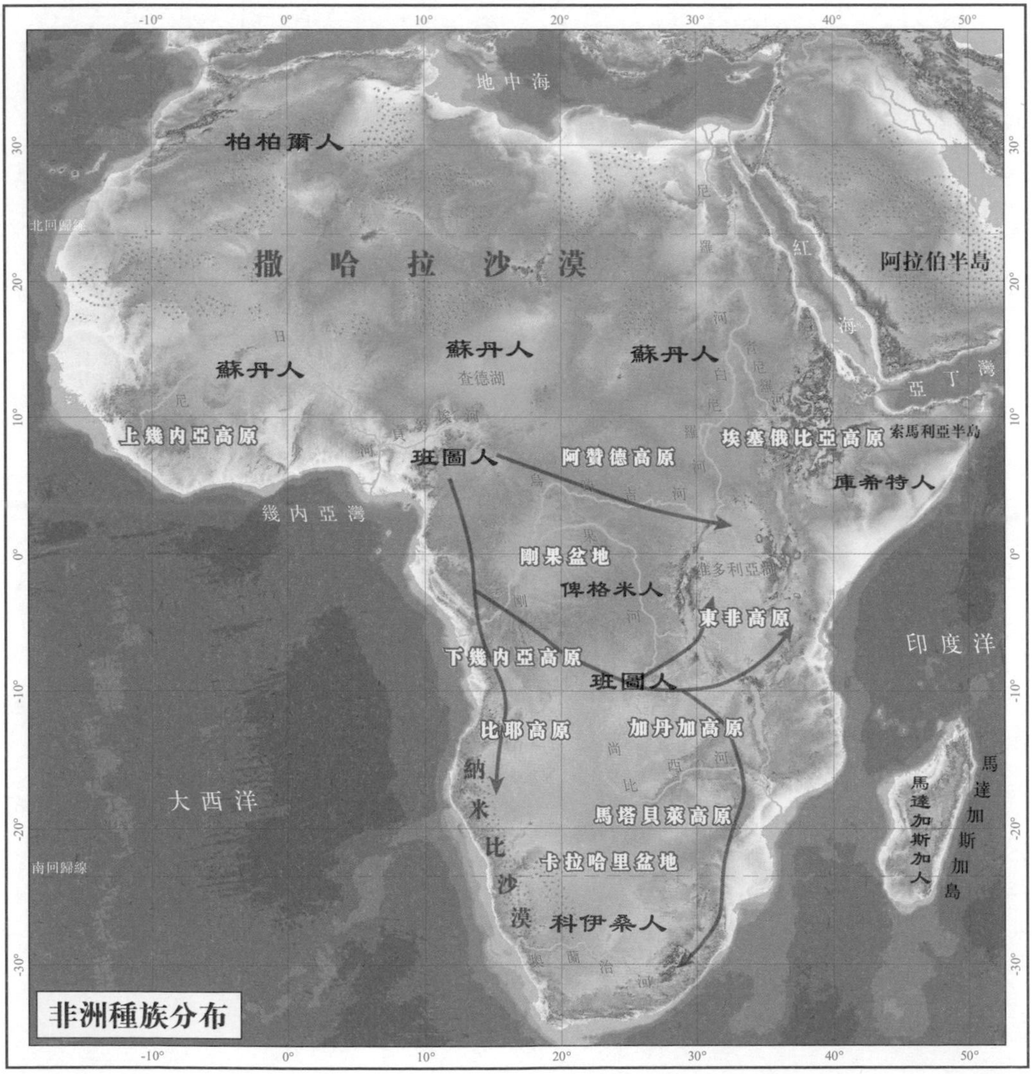

非洲種族分布

是農耕文明，所謂的農耕文化是還處於刀耕火種階段的原始農業，氣候環境的因素，非洲註定產生不了農耕文明。廣袤的非洲草原上，查德湖就像一顆珍珠般閃耀。雨季時，面積達到二萬多平方公里。查德湖是一個內陸湖，沒有河流流出，按常理，必然是個鹹水湖，但令人納悶的是，它是個淡水湖，而且含鹽量比東非各大湖泊都低。後來人們發現查德湖的東北處，有一片海拔更低的窪地，查德湖雖然沒有河流外出，卻有地下河通向這片窪地，等於把鹽分都排到這片窪地，從而使自己變成了淡水湖。

西元前五世紀，蘇丹人就掌握了青銅器技術；一世紀，掌握了煉鐵技術。只是這些技術的主要用途就是製造武器，用來打仗或狩獵。七世紀後，受伊斯蘭教的影響，蘇丹人開始建立一些國家。蘇丹人主要分布在撒哈拉以南到幾內亞灣之間的長方形地帶，赤道以南的非洲，廣泛分布的是班圖人。班圖人與蘇丹人最大的區別是膚色，如果說蘇丹人是純黑的話，班圖人就是淺黑，腦袋也沒有蘇丹人那麼大。

班圖人最早居住在喀麥隆高原一帶（今喀麥隆、奈及利亞兩國交界處），是個農耕部落，後來受到蘇丹人的擠壓開始南遷。班圖人遷徙的情況十分複雜，路線飄忽不定，可以大致分為東、南、西三路。

東路由喀麥隆順烏班吉河往東，或先行南下由中非往東，其中一部分停留在東非高原，環維多利亞湖地區，與當地部族融合；另一部分繼續東遷到達沿海，與在那裡經商和定居的阿拉伯人（包括部分波斯人和印度人）融合，形成斯瓦希里人。

西路由喀麥隆開始南下，一些人在半路停留與當地人融合，一些人繼續南下，一直到達納米比亞北部。南路的情況最複雜，覆蓋的範圍最廣，整個南部非洲的人口結構都受這一路影響。班圖人的遷徙前後持續二千多年，深刻地改變了非洲大陸的人口結構。

蘇丹人和班圖人占了黑非洲的絕大多數人口，另外兩種黑人的數量就少多了。

俾格米人又稱尼格利陀人，俾格米的意思就是身材矮小，這個部族的成年人身高在一百三十～一百四十公分，八、九歲就已經發育成熟，並開始組建家庭、生兒育女。他們彷彿是縮小版人類，平均壽命只有三、四十歲。

俾格米人生活在赤道附近的熱帶雨林，身形矮小應該是進化的產物。在熱帶雨林裡面對野獸的追擊，身材高大反而吃虧，身材矮小的人可以迅速鑽過藤蔓纏繞的樹杈之間的縫隙。

俾格米人的膚色比班圖人更淺一點，班圖人大量南遷後，俾格米人的生存空間受到擠壓，人口數量愈來愈少。如今，在廣袤的非洲叢林裡，俾格米人只有九十多萬，他們獨特的文化也瀕臨滅絕。

科伊桑人嚴格來說不算黑人，他們的膚色更像黃種人，就連樣貌也像黃種人。不過他們身高只有一百四十五～一百五十公分，頭髮曲捲，屁股大，和黃種人還是有明顯區別。

與其說科伊桑人是一個種族，不如說他們是一個人種。科伊桑人是全世界最古老的民族，十幾萬年前就和其他人類分離了，而班圖人和歐洲人是六萬年前分離，東亞人和歐洲是四萬年前分離，非洲以外各個民族和科伊桑人沒有任何遺傳關係。

科伊桑人原本廣泛分布在撒哈拉以南的非洲大陸，班圖人擴散時，他們退居到非洲南部。由於生存空間不斷受到擠壓，人口愈來愈少，如今只有三十多萬人。班圖人擴散的過程，大部分科伊桑人遭到滅絕，或被混血，例如南非總統曼德拉（Nelson Mandela），就有科伊桑人的血統。

撒哈拉以南的非洲還有兩個特殊部族，一個是庫希特人，另一個是馬達加斯加人。

庫希特人是黑白混血，分布於非洲之角。非洲之角是指索馬利亞半島、衣索比亞高原和其南部的沿海平原地帶，是由衣索比亞高原和東非大裂谷隔離出來的三角地帶，又稱東北非洲，是現今非洲最混亂的地區之一。

這裡離阿拉伯半島非常近，連接紅海和亞丁灣的曼德海峽只有三十公里，即使是航海業不發達的人類早期，也可以靠一葉扁舟相通相連。早在三千多年前，就形成一個黑白混血的族群——庫希特人，取代了原本生活在這裡的布希曼人（又稱桑人），而布希曼人正是科伊桑人的一支。

班圖人東遷到大湖地區（環繞非洲維多利亞湖、坦噶尼喀湖和基伏湖等湖泊的周邊和鄰近地區）後，庫希特人被迫北撤，一部分留在原地被班圖人同化。

其中位於高原地區的衣索比亞早在西元前八世紀就建立了國家，四～五世紀基督教傳入。歐洲人後來把傳說中的約翰王國定位在衣索比亞，葡萄牙人發現塞內加爾河後不久，甚至一度認為可以沿塞內加爾河一路向東達到尼羅河上游，然後與衣索比亞接頭，後來才發現行不通，於是繼續沿非洲大陸航行。

馬達加斯加人是獨立存在於馬達加斯加島上的族群，馬達加斯加島遠離大陸，原本是個無人島，早在西元前數個世紀，一批南亞人從印尼出發，漂洋過海到這裡，成為島上的主體民族。九世紀左右，阿拉伯人陸續遷入，並從非洲大陸運來大批班圖人替他們種地。於是，島上的主體居民成了黑黃混血。歐洲人來了之後，有更多班圖人做為奴隸被運往這裡，還有不少阿拉伯人、波斯人和印度人到這裡定居，最終形成今天的馬達加斯加人。可以說，馬達加斯加人是個移民混血群體，但各個時期移民的數量不同，定居的地區不同，混血的程度不同，因此又細分成很多部族。今天的馬達加斯加可以看到有的完全是黑人，有的一看就是亞洲人，但更多的是混血。

總之，黑非洲沒有自己的文字，也就沒有歷史紀錄，歐洲人到來之前，他們的歷史含混不清。歐洲人的到來，雖然為非洲人帶來災難，但從此他們的歷史也變得明晰起來。而且，歐洲人發現，非洲不是只有原始部落，也存在著具有高度組織性的國家。

第七章

把奴隸買賣做到極致的歐洲人

尼日河流域存在著三個西蘇丹人建立的國家：馬利帝國、桑海帝國和貝寧帝國。另外在查德湖一帶，還有一個中蘇丹人建立的博爾努帝國。不要被帝國兩個字迷惑，其實他們都是蘇丹國。論實力，他們和歐亞大陸上的帝國沒有可比性，稱其為帝國只是相對附近的部落酋長國而言。

對古代人而言，撒哈拉沙漠是個不可逾越的障礙；但對阿拉伯人來說，幾乎沒有他們到達不了的地方。阿拉伯人能穿越沙漠，因為他們馴化出一種特殊的動物——駱駝。與雙峰駱駝不同，阿拉伯人馴化的是單峰駱駝，是熱帶沙漠的產物，而雙峰駝是溫帶沙漠的產物。打個比方，就像手機多了一個備用電池，續航力大大提高；單峰駱駝比起雙峰駱駝，因為輕便、速度快，可以用來成立駱駝騎兵。在沙漠地帶，駱駝騎兵幾乎沒有對手，早期阿拉伯人能迅速席捲中東的沙漠地帶，靠的就是駱駝騎兵。但駱駝最大作用不是打仗，而是馱運貨物，對阿拉伯商人來說，駱駝就是他們最大的財富。

早在西元三〇〇年前後，塞內加爾河至尼日河上游之間出現了一個黑人建立的古國——迦納王國。七世紀，迦納王國發展成迦納帝國。迦納帝國盛產黃金，又稱黃金帝國。這時阿拉伯人在半島上興起，阿拉伯商人帶著鹽、織物、雜貨、貝殼（非洲海岸線平直，沒有海灘，貝殼稀有，迦納用貝殼當作貨幣），換取迦納人的黃金、奴隸、象牙。看見沒有，非洲那時就有奴隸買賣，並不是歐洲人的發明，只不過歐洲人把奴隸買賣做到了極致。另外，奴隸在非洲原本只是一種身分，地位比普通人低，但不是一點人身保障都沒有，歐洲人出現後，奴隸才變得毫無人身權利，像牲口一樣被賣到世界各地。這一點可以參照中國，清朝那些達官貴人家裡的僕人也是奴隸身分，雖然是買來的，但也是人；而那些被販賣到南洋的華工，卻遭受著非人待遇。當然，下南洋的華工本身不是奴隸身分，很多是被騙去的，但遭受的境遇和黑奴沒什麼兩樣。

迦納帝國的黃金產自上幾內亞高原，這裡有很多金礦，而從北方穿越撒哈拉沙漠而來的阿拉伯商人，帶了人體必備的食鹽（雖然這裡靠海，但非洲人不會製鹽），迦納帝國正好處於二者中間，壟斷了貿易路線，於是強大起來，遠近聞名。這條貿易線上，迅速興起了幾個城市，例如瓦格拉、迭內、廷布克圖（又譯通布克圖）和加奧等

十一世紀，原本屬於迦納帝國的馬利部落崛起。馬利人信奉伊斯蘭教，憑藉著伊斯蘭教的強大組織能力，馬利人迅速擴張。一二四〇年，迦納帝國被馬利帝國吞併。

桑海是先後臣服於迦納帝國和馬利帝國的小國，十一世紀，桑海人把首都遷到加奧，控制了黃金貿易線，逐漸皈依伊斯蘭教。十五世紀後期，桑海人沿尼日河大力擴張，占領馬利帝國中心城市廷布克圖，正式建立桑海帝國。葡萄牙人來的時候，桑海帝國正在不斷蠶食馬利帝國的土地。

位於查德湖附近的博爾努帝國沒有什麼稀缺資源，直到十四世紀才由中蘇丹人建立。同樣，因受阿拉伯文化的影響，博爾努帝國也信奉伊斯蘭教。

還有一個位於尼日河入海口的貝寧帝國，也是十四世紀建立的。從這裡可以看出，西非的文明深受阿拉伯文化影響，愈靠北，離阿拉伯商人的貿易通道愈近，就發展得愈早，反之則愈落後。

無論是迦納帝國、馬利帝國，還是桑海帝國、貝寧帝國，都是靠著尼日河發展起來，河流是古代商

貿最便捷的通道。尼日河的南邊，靠近幾內亞灣的地方，是一片原始熱帶雨林，雨林裡有許多河流順著高原流入大海，正是靠著這些河流，葡萄牙人把西非內陸的黃金、象牙和奴隸等源源不斷地運到海邊，再上船運回歐洲，於是海邊形成了幾個重要的貿易市場，分別是：胡椒海岸、象牙海岸、黃金海岸和奴隸海岸。這幾個貿易海岸為葡萄牙人帶來了源源不斷的財富，為防止歐洲其他人染指，葡萄牙人對這些貿易口岸採取了保密措施。

當葡萄牙人沿著象牙海岸、黃金海岸和奴隸海岸航行時，以為從此向東可以到達印度洋。當他們到達喀麥隆火山時，卻發現海岸線向南拐了。看來，從赤道附近駛入印度洋是不可能了。

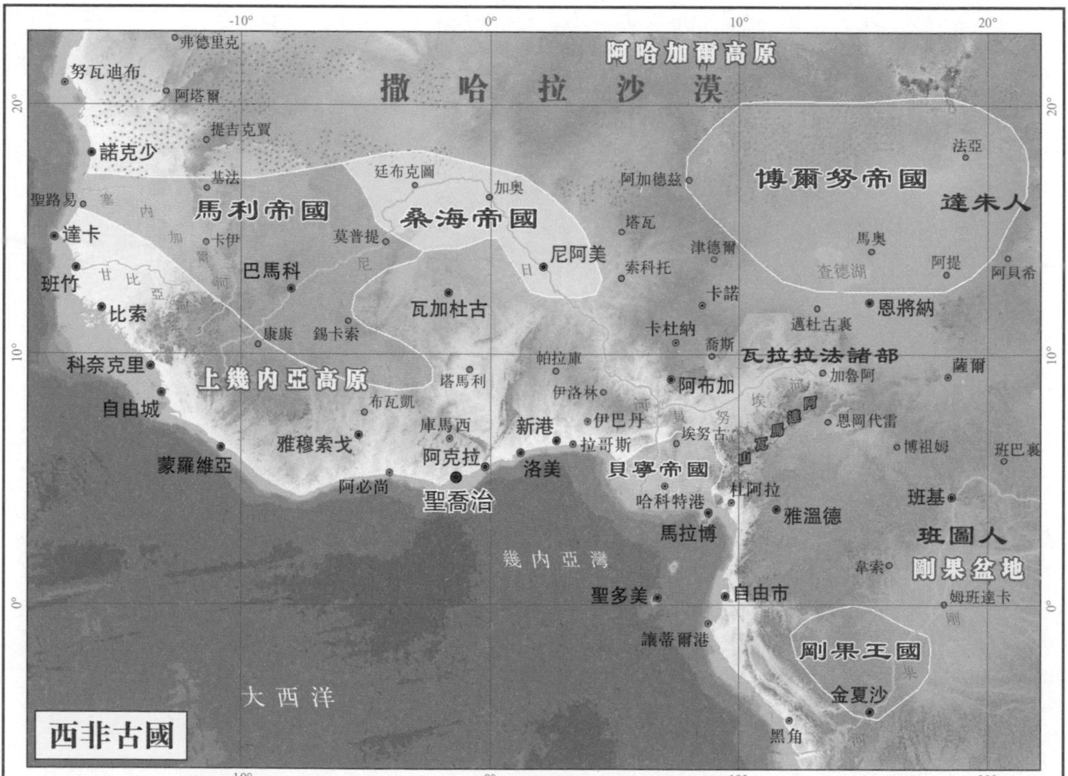

喀麥隆火山位於北緯四度，是一座活火山，山坡堆積著厚厚的火山灰，再加上地處熱帶雨林區，降水豐富，因此人口稠密。

隨後，葡萄牙人在喀麥隆火山附近的海洋上發現了四個島嶼：比奧科島、聖多美島、普林西比島和安諾本島。

當然，本書中所說的「發現」，是站在歐洲人的立場說的，不代表這裡沒有居民，或者沒有被其他文明發現過。只是在大航海時期，歐洲人對每一個發現的地方都有詳盡、系統的描述，因其發現，才把這些原本名不見經傳的地方畫在世界地圖上，徹底改變了這些地方的歷史。

發現聖多美島的日期是一四七〇年十二月二十一日，這一天恰好是基督教的聖

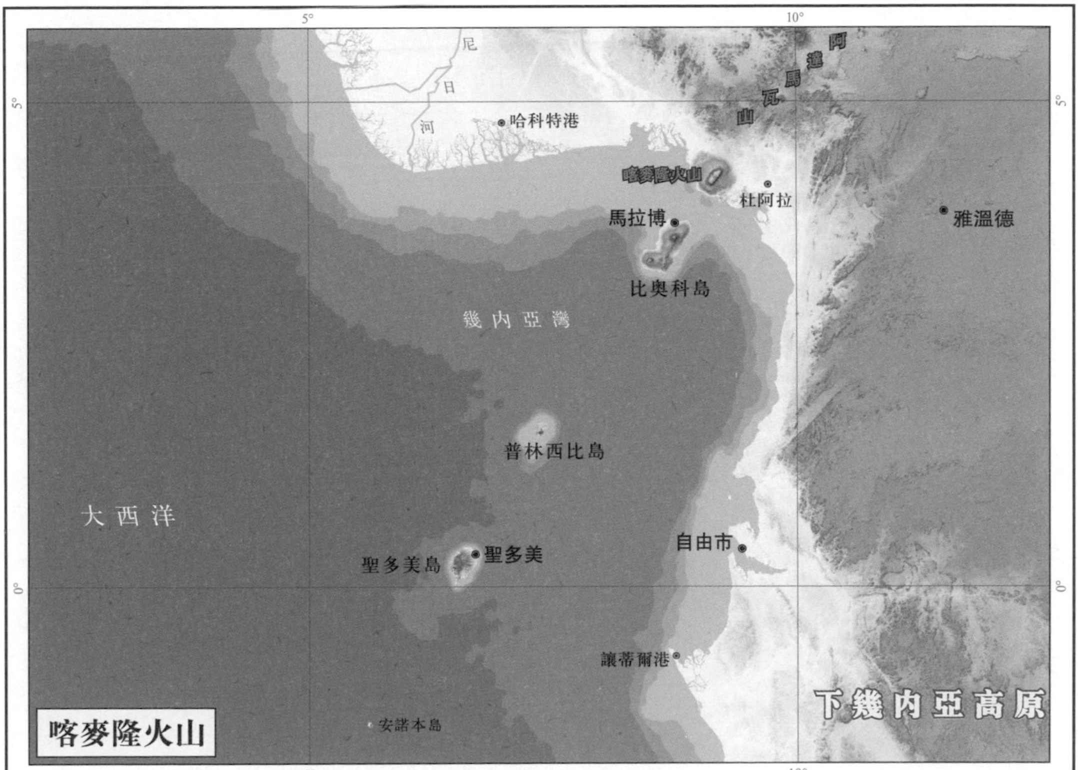

多美日，因此命名。聖多美島和普林西比島同樣屬於火山島，土地肥沃，降水豐富，非常適合種農業種植。葡萄牙後來從非洲運來三萬黑奴，在這裡開墾，種植甘蔗，熬製砂糖，成為葡萄牙人的砂糖生產基地之一。

比奥科島離大陸近，島上人口眾多，葡萄牙人一時無法染指。安諾本島太小，面積只有十七平方公里，葡萄牙人沒太放在心上。

這四個島嶼都是火山島，和喀麥隆火山一樣，都是阿達馬瓦山的延伸。只不過喀麥隆火山是西非沿海最高的山，比較出名。

過了聖多美島，意味著葡萄牙人穿過了赤道。從古希臘時代開始，包括亞里斯多德都認為，赤道附近是生命的禁區，太陽光直射光線帶來的炙熱會焚毀一切動、植物，葡萄牙人以事實否定了這一觀點。

隨後十來年的日子裡，葡萄牙人把經營重點放在幾內亞灣。

靠著從西非掠奪來的財富，葡萄牙國力日增。一四七一年，葡萄牙人與摩爾人開戰，大獲全勝，占領了阿爾吉拉和丹吉爾。從此，直布羅陀海峽周圍地區完全控制在葡萄牙人手裡，前往西非探險的路線變得無比通暢。只有一個地方不順暢，就是加納利群島，它就像一根釘子一樣，在葡萄牙人的航線上十分礙眼。

加納利群島有七個大島組成，卡斯提爾人一時難以全部控制，葡萄牙人總想占據其中一個島嶼做為據點。臥榻之側，豈容他人鼾睡，卡斯提爾人當然不想讓葡萄牙人在自己的勢力範圍內插上一腳。為此，兩國經常摩擦不斷。

一四七八年，經教皇調解，葡萄牙王國與卡斯提爾王國簽訂了《阿爾卡索瓦什合約》。合約規定：加納利群島歸卡斯提爾王國所有；卡斯提爾王國不再對加納利群島以南發現的和將發現的陸地提出要求；其他有待發現的世界以穿過加納利群島的緯線（約北緯二八．五度）為界分成南、北兩部分，北部由卡斯提爾王國去尋找，南部由葡萄牙王國去探索。

這個合約雖然讓葡萄牙人從此對加納利群島死了心，但也對在西非的發現成果放了心，不用擔心西班牙人去搶自己辛辛苦苦獲取的果實。

簽訂合約的第二年，卡斯提爾王國與亞拉岡王國合併，成立西班牙王國。初步完成內部統一後，西班牙終於騰出精力面向大海，葡萄牙人也將迎來一個強大的競爭對手。

不僅如此，一四八〇年，英國組織了一支探險隊，開始往愛爾蘭島以西遠航。同年，莫斯科公國大敗蒙古軍隊，從此脫離金帳汗國（欽察汗國）的控制。從海洋到陸地，歐洲人的活力全面激發。

一四八一年，葡萄牙國王約翰二世（John II of Portugal）即位，他是祖叔父「航海家亨利」的堅定追隨者和擁護者，一心想打通到印度的航道，於是葡萄牙的航海事業有了新的進展。約翰二世在位期間，前往非洲的葡萄牙船上不僅有冒險家，還有傳教士、使節、商人，葡萄牙人開始從宗教、外交、經濟全方位向非洲滲透。另外，約翰二世還組建了學術委員會，研究天文、地理等與航海有關的課題。

為了遠洋航行的安全和便利，葡萄牙人在黃金海岸修建了一座城堡，名為聖喬治．達．米納堡，

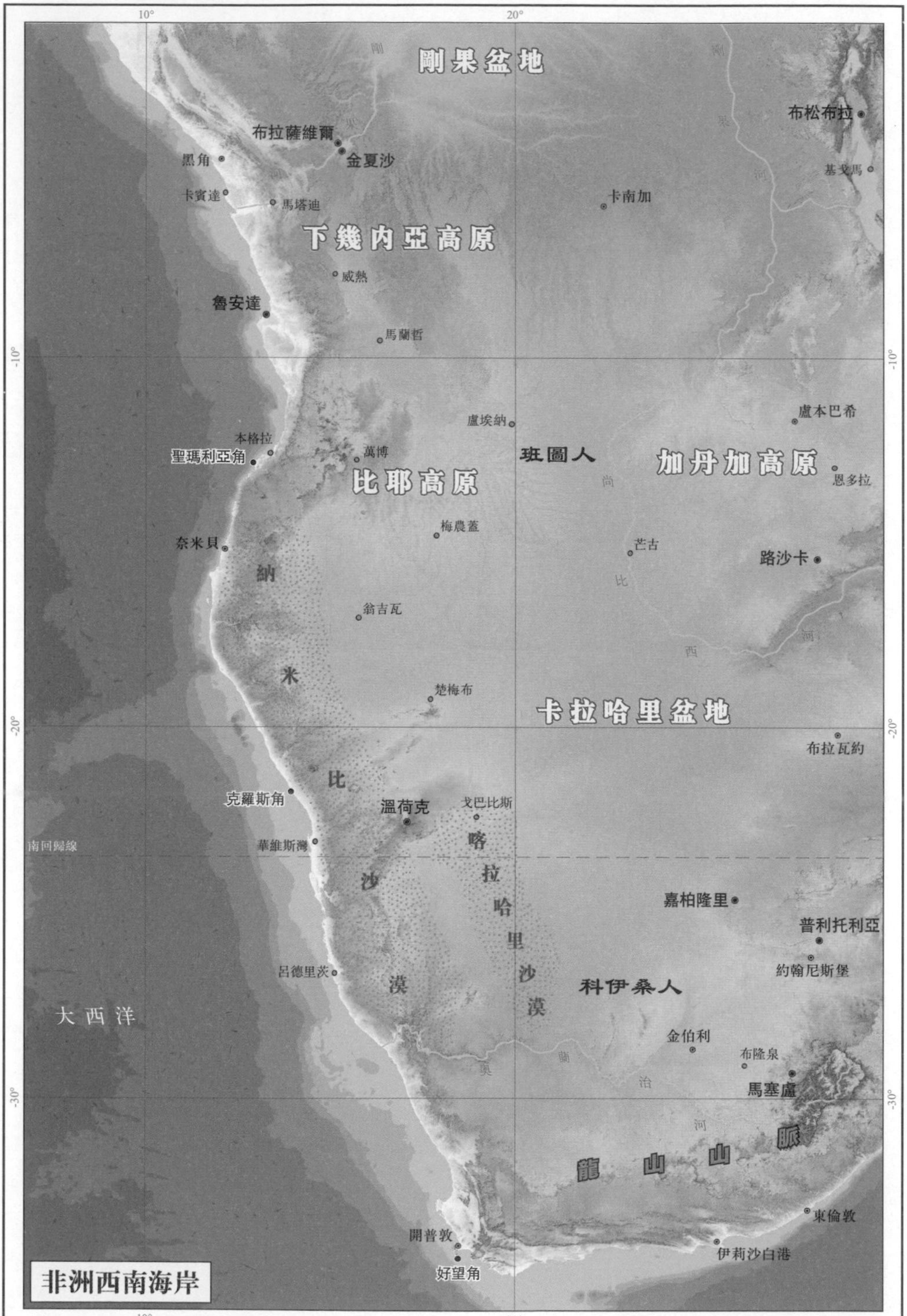
10°
20°
剛果盆地
布松布拉
布拉薩維爾
金夏沙
黑角
基戈馬
卡賓達
馬塔迪
卡南加
下幾內亞高原
威熱
魯安達
馬蘭哲
-10°
盧本巴希
盧埃納
本格拉
聖瑪利亞角
萬博
班圖人
加丹加高原
恩多拉
比耶高原
梅農蓋
芒古
奈米貝
路沙卡
納
翁吉瓦
米
楚梅布
卡拉哈里盆地
-20°
布拉瓦約
比
克羅斯角
戈巴比斯
溫荷克
喀
南回歸線
華維斯灣
沙
拉
哈
嘉柏隆里
普利托利亞
里
約翰尼斯堡
呂德里茨
沙
漠
科伊桑人
漠
大西洋
金伯利
布隆泉
馬塞盧
-30°
龍
山
山
脈
東倫敦
開普敦
伊莉沙白港
好望角

非洲西南海岸

意思是金礦上的城堡（荷蘭統治時期變成聖喬治．德．埃爾米納堡，現在簡稱為埃爾米納堡）。聖喬治是繼阿爾金之後，葡萄牙人在西非沿岸建立的第二個殖民點，從此以後，附近的黃金、奴隸和各種貨物都可以先匯集到這裡，船一來就可以交割拉走，不必像以前那樣在岸邊等待半天，效率大大提高。

一四八二年六月，一支葡萄牙探險隊從聖喬治南下，航行約二千公里後，發現了黑非洲第一大河——剛果河的河口。葡萄牙人上岸後，在這裡立了一個石碑以做紀念。這是西方探險家立的第一個紀念石碑，後來遠航探險的人紛紛效仿。他們派了一艘船溯河而上打探情況，主力則繼續向南探索，直到南緯十

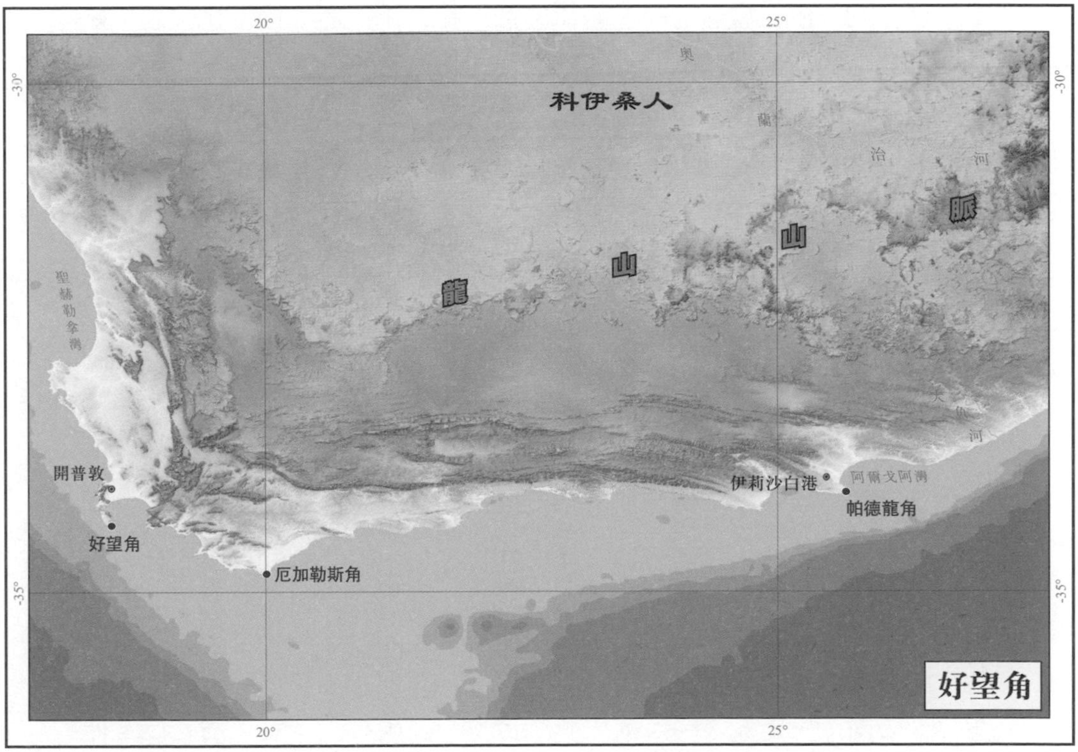

三度左右的聖瑪麗亞角，再立石碑，然後返航。從剛果河往上，正是班圖人建立的剛果國，不過此時他們只是一個部落制國家。這裡地處熱帶雨林區，也是全世界除亞馬遜雨林之外最大的雨林。

再往南，葡萄牙人驚訝地發現沿海一帶出現了沙漠。沿海沙漠最讓航海者恐懼。如果過撒哈拉西海岸時，葡萄牙心裡還多少有點準備的話，眼前的沙漠著實讓葡萄牙人心裡發寒。他們不知道這片沙漠有多長，什麼時候能結束。如果準備不足，可能全員在返航的途中餓死、渴死。

這片沙漠正是納米比沙漠，從今天的納米比一直到奧蘭治河，南北長二千一百公里，東、西最寬處一百六十公里，最窄處只有十公里。它位於南回歸線附近，和撒哈拉沙漠正好南北對稱。

葡萄牙人擔心又碰到了一個撒哈拉，不敢輕舉妄動，經過精心準備，於一四八五年在聖瑪麗亞角以南不遠處的黑山立起第三個紀念碑後，繼續南行到南緯二十二度的克羅斯角（今納米比亞境內）。此次南行穿過沙漠約一千公里，仍看不到盡頭，葡萄牙人心裡沒有把握，立石碑後返航。途中路過剛果河時，遇到三年前派去探查的人。這些人逆流而上一百六十多公里，帶回剛果國的一個使節團，團長是一名剛果親王。這些人在葡萄牙受洗入教，學會葡萄牙語，後來創建了基督教的剛果王國。

一四八七年八月，葡萄牙國王約翰二世派遣航海世家的巴爾托洛梅烏・迪亞士（Bartolomeu Dias）率船隊出海探險。迪亞士從里斯本出發，先到達聖喬治，然後到達前人航行的最遠點克羅斯角，穿過南回歸線後，在呂德里茨（今納米比亞境內）立紀念石碑。

此時的迪亞士不知道前方的沙漠還有多遠，但已經沒有退路，因為他沿著沙漠走了將近一千五百公里，退回去肯定補給不夠，只有硬著頭皮往前。

駛過奧蘭治河口時，船隊終於得到淡水的補給，沙漠也漸漸遠去，眼前開始出現綠色植物，一船人終於看到了希望。

沒想到的是，船隊到達南緯三十三度時遇上了風暴。迪亞士為了避免觸礁，把船往深海方向駛去，結果補給船掉隊，不知所蹤。等風浪稍微平靜後，船隊調頭向東，走了半天也看不見陸地，迪亞士感覺不對，於是再轉向北走，於一四八八年二月三日發現從西向東的海岸線，這是非洲的最南端。

然後，迪亞士率船隊繼續東進至阿爾戈阿灣，從這裡開始，海岸線由東西向轉為東北向。此時，迪亞士知道，他的船隊已經繞過非洲的全部南海岸，正航行在印度洋上了。

迪亞士在阿爾戈阿灣的帕德龍角豎立石碑後，又前進到大魚河河口，然後返航。返航途中，迪亞士發現厄加勒斯角（非洲大陸的最南端，當時命名為聖布雷頓角）後，又在不久前經受風暴的地方發現了一個海角，於是命名為風暴角，並在此豎立紀念石碑。此後，他們意外地碰到失散很久的補給船。十二月，迪亞士的船隊回到里斯本。

這次迪亞士的遠航共歷時十六個月，單向航程上萬公里，向南推進約十三個緯度，繞行了整個非洲南部海岸，發現長達二千公里前人未知的海岸線，並帶回這個地區比較準確的地圖。

不久後，葡萄牙國王約翰二世覺得風暴角這個名字很不吉利，改名為好望角。

第八章

四處碰壁的哥倫布

葡萄牙人在非洲的探險活動碩果纍纍時，有一個人也想參與其中，他就是克里斯多福・哥倫布（Christopher Columbus）。

哥倫布，一四五一年出生於熱那亞共和國（今義大利西北部），但他在葡萄牙待過很長時間，天文、地理、水文、氣象知識都是在葡萄牙學的。當時葡萄牙首都里斯本是歐洲的航海中心，不僅是里斯本，哥倫布還在馬德拉定居過一段時間，後來又航海到很多地方，已經積累了豐富的航海經驗。

一四八三年，哥倫布向葡萄牙國王約翰二世提出可以向西橫渡大西洋，開闢一條去往東方的新航路，就是他的「西印度事業」。哥倫布所說的「印度」，實際包含了印度、中南半島、中國和日本等國家，泛指整個東方。

哥倫布不是第一個提出這種想法的人，第一個提出這個想法的是佛羅倫斯共和國的保羅・達爾・波佐・托斯卡內利（Paolo dal Pozzo Toscanelli）。佛羅倫斯和熱那亞同在義大利半島上，而且相鄰，哥倫布和托斯卡內利算是半個老鄉。只不過托斯卡內利是地理學家，沒有打算自己去冒險，他把這個建議傳遞給當時的葡萄牙國王阿方索五世後就不了了之。哥倫布本身沒有受過高等教育，得到托斯卡內利的啟發後，有了西行冒險的計畫。

自從文藝復興後，「地球是圓的」這一觀點基本上是主流地理學家的共識。按照這個說法，印度和中國雖然遠在東方，向西航行一樣可以到達，而且更近（哥倫布算錯了，實際上不近）。

關於地球的周長，古希臘的科學家早就有過正確的推算，後來科學家反而愈算愈離譜，其中還包括阿拉伯人。到托斯卡內利時，他把亞洲的東西跨度算大了兩倍，而哥倫布又把地球算小了四分之一。這樣一來，從葡萄牙往西到中國的東海岸只有一萬二千公里，而日本離中國又相差二千公里，於是哥倫布得出結論，葡萄牙到中國只有一萬公里。這一萬公里的海路上，亞速群島或加納利群島，還有傳說中的安地列斯島、聖布雷頓島都可以充當遠航途中的中轉站。

哥倫布算出的距離比實際少了一半，應該說，正是這一錯誤，造成了一次偉大的發現。否則別說西班牙王室，就是哥倫布本人也絕不敢冒這個險。

但葡萄牙國王約翰二世對哥倫布的計畫興趣不大，此時葡萄牙在非洲的探險已經推進到剛果，怎麼可能再冒這麼大的風險去西方。為此，葡萄牙政府研究討論後，於第二年（一四八四年）拒絕了哥倫布的建議。

事後，葡萄牙派船隊往西尋找傳說中的安地列斯群島，結果一去不返，而此時非洲的探險隊遲遲沒有到達非洲的最南端。於是葡萄牙人又想找哥倫布談談，結果這時迪亞士發現了好望角並勝利返航，葡萄牙人最終放棄與哥倫布的談判。

無奈之下，哥倫布輾轉來到西班牙。此時的西班牙剛完成內部統一，開始騰出精力關注海洋上的事情。

和北方以日耳曼人為主體不同，伊比利半島上的人員結構比較複雜。最早生活在這裡的是一些土著，後來凱爾特人進入，占據主體。羅馬帝國強大時，伊比利半島羅馬化，或者拉丁化。羅馬帝國崩潰時，部分日耳曼人融入，形成伊比利亞人。到八世紀初，阿拉伯人和柏柏爾人入侵，占據了半島四分之三的土地，伊比利亞人被壓制在半島西北一角。從此以後，伊比利亞人開始長達七個世紀的「收復失地運動」。隨著伊比利亞人向南推進，十一世紀初，卡斯提爾王國和亞拉岡王國形成；十二世紀中葉，葡萄牙王國形成。十四、十五世紀，大大小小的王國逐步合併，半島上的主要國家只剩下四個：葡萄牙王國、卡斯提爾王國、亞拉岡王國和摩爾人建立的格拉納達酋長國。還有一個位於庇里牛斯山脈以西靠海位置的納瓦拉王國，這個國家比較特殊，有一部分土地在庇里牛斯山脈以北，山脈以南的土地後來併入西班牙，山脈以北的土地後來併入法

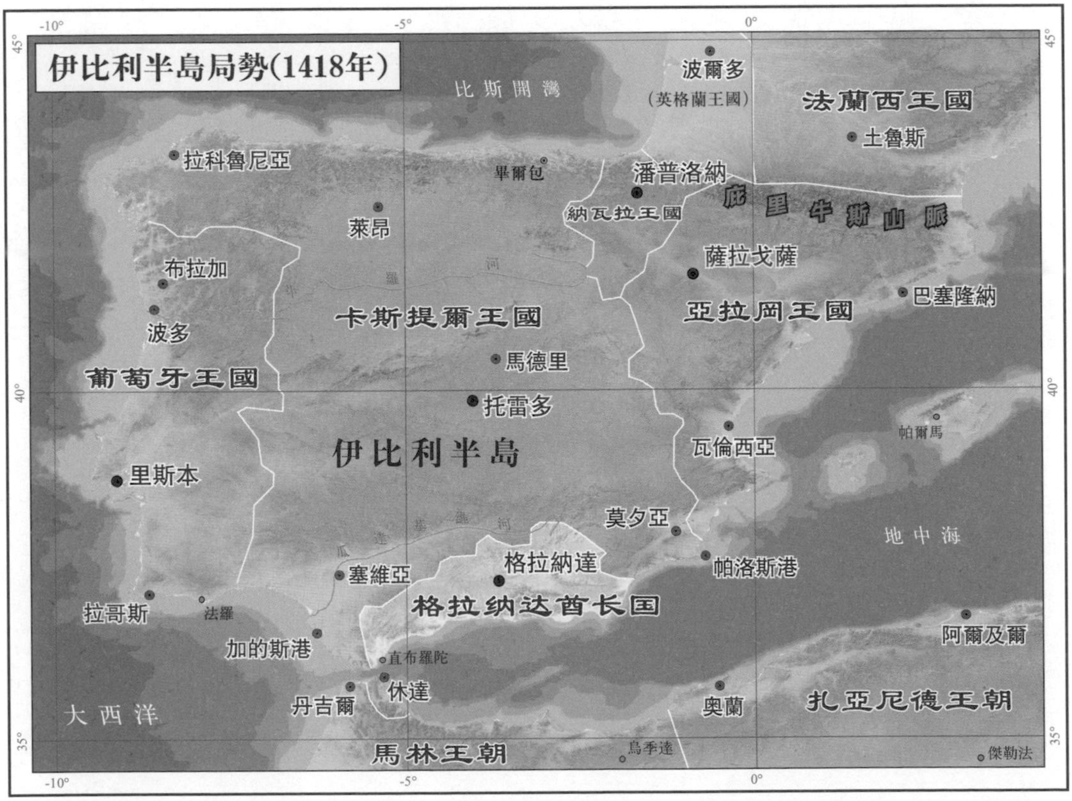

國。

一四六九年，葡萄牙人在非洲發現黃金海岸時，卡斯提爾王國的公主伊莎貝拉一世（Isabella I of Castile）和亞拉岡王國的王子斐迪南二世（Ferdinand II of Aragon）聯姻。正是這次聯姻，最終決定了兩國的命運。到了一四七四年，伊莎貝拉一世繼位為卡斯提爾的國王；過了五年，即一四七九年，斐迪南二世繼位為亞拉岡的國王，於是兩國合併，近代意義上的西班牙開始形成。不過這個時期的西班牙相當於聯邦，名義上是一國，實際上兩口子各管一個國家，有相當的自主權。這時的伊莎貝拉一世既是國王（女王），也是王后。直到他們的外孫卡洛斯一世（Carlos I，也是查理五世）執政時期，西班牙的兩大部分才完全融合。

從這裡可以看出，歐洲封建制和中國分封制不同，女人通常有繼承權。中國有明確的宗法制，就是嫡長子繼承制，女兒絕對沒有繼承權。歐洲受宗教影響，是一夫一妻制，無所謂嫡庶，但通常長子有優先繼承權；如果沒有兒子，情況就變得複雜了，女兒要出嫁，繼承的土地（爵位和土地有關聯）會像嫁妝一樣成為別人國家的，就會引發兩國的戰爭，例如英、法的百年戰爭，源頭就在這裡。女兒有繼承權就相當於外戚有了繼承權，所以常看到歐洲某某的外甥或外孫繼承了某某爵位。

另外，一般情況下，中國的貴族是先有爵位，然後才受封一塊土地，而歐洲的貴族是先有土地（自己打下來或從祖宗那裡繼承），然後向某某國王或領主效忠，才獲得爵位。這同樣會引發兩國的戰爭，例如某個大領主和國王不和，翻臉毀約，去效忠另一個國王，他擁有的國土自然就變成另一個國家的。

而中國先秦時期不會發生這種事，如果某個卿大夫叛逃出國，他的爵位和土地自然收歸國有，如果國君仁慈，可能會讓他的兒孫繼承原來的爵位和土地，而他的爵位自然失效，只能到另一國再混個爵位，受封一些土地。說到底，歐洲的土地更像是貴族的私產，而中國的土地始終都是國家的。

一四八六年，西班牙女王伊莎貝拉一世召見了哥倫布，聽取他的建議後，指定一個委員會專門審議西航的可行性。

漫長的等待中，哥倫布感覺希望渺茫，一四八八年又與葡萄牙國王約翰二世聯繫商談（最終因迪亞士載譽歸來而無果），一四八九年派他的兄弟去英國遊說英格蘭國王亨利七世（Henry VII of England），以及到法國遊說法蘭西國王查理八世（Charles VIII of France），但都沒有結果。

經過四年的商討，西班牙委員會最終於一四九〇年否決哥倫布的西航計畫。主要理由是路途過於遙遠，安然歸來的可能性極小；即使能夠回來，往返需要三年。應該說，委員會的意見是有道理的，當時誰都不知道中間還有個美洲，否則哥倫布真的回不來了。

一四九一年十二月，哥倫布再次求見西班牙女王伊莎貝拉一世。這時西班牙正在攻打摩爾人的大本營格拉納達，而伊莎貝拉一世正坐鎮前線，女王在格拉納達附近的聖塔菲軍營裡召見哥倫布。委員會依然否決，但理由不再是太遠，而是哥倫布的要價太高。於是哥倫布打算前往法國，這時，王室的財政顧問桑坦赫爾（Luis de Santangel）力勸女王，說哥倫布的要價再高，也是探險成功之後才要支付，遠航本身的費用不算多，他願意出資。女王被說動了，派人追回哥倫布，重新談判。

正是這次談判過程中，前線傳來一個利多消息：一四九二年一月二日，西班牙軍隊攻克格拉納達城，並將摩爾人建立的格拉納達酋長國併入了西班牙王國的版圖。從此，綿亙七百八十一年的「收復失地運動」以西班牙人的完勝而告終。這樣一來，陸地上的危險解除，西班牙可以集中精力經營海上的事業了。經過三個月談判，西班牙王國與哥倫布最終達成「偉大事業」的詳細協定，又稱《聖塔菲協議》。協議共有七個要項，分別是：協議要項、委任受銜狀、致外國君主的國書、護照和三份關於準備探險船隊的命令。協議規定，探航成功後：

一、授予哥倫布「唐」的貴族頭銜，任命他為發現和取得的一切島嶼和大陸的海洋元帥，世襲罔替。

二、任命哥倫布為那些地區的副王和總督，而且對下屬官員有推薦提名權。

三、哥倫布擁有在那些領地內獲得的各種財富的十分之一，而且免稅。

四、哥倫布在他的新領地內擁有商務裁判權。

五、哥倫布有權對開往新領地的一切船隻投資、控股和分紅的八分之一。

拉丁文本的護照很簡單，如下：

茲派貴族克里斯多福・哥倫布為了一定的原因和目的，率三艘配備齊全的卡拉維爾帆船遠渡重洋前來印度地區。

國書的內容比較有意思，全文如下：

致最尊貴的君主，我們親愛的朋友：——
卡斯提爾、亞拉岡、雷昂、西西里、格拉納達等王國之國王斐迪南及伊莎貝拉，向您致以誠摯的問候。

我們高興地得知，您給予我們和我們民族高度的評價，並非常希望了解我們各方面的資訊。為此，我們決定委派優秀的船長克里斯多福・哥倫布，帶著國書前來拜訪，您可以從他那裡了解到我們的興旺和繁榮。我們已授權他向您講述有關我國的事物，您盡可以相信。如蒙貴國關照，將不勝感激。回覆為盼。

一四九二年四月三十日書於格拉納達

朕，國王　朕，王后

文書科洛馬

此件簽發三份

三份國書中，其中一份給中國的蒙古大汗，另外兩份空白，準備到時候按需要填寫。那時歐洲人受《馬可・波羅遊記》影響，以為統治中國的還是蒙古人，不知道明朝已經取代元朝了。

這份國書從表面上看，典型的沒話找話說。歐洲人是游牧民族出身，一向崇拜強者，對弱者反倒沒有憐憫之心，這一點從他們後來的殖民活動中可以看出。西班人單獨簽署一份國書給中國，正是出於對中國的敬畏，特別是蒙古人入侵歐洲時，為他們留下不可磨滅的記憶。對非洲和美洲的那些部落，他們可沒這麼客氣。

與葡萄牙一開始想尋找約翰王國不同，西班牙一開始就把去往東方做為明確的目標。用協議的形式把國家和冒險者的責任、權力、利益明定下來，在中國人看來不可思議。鄭和下西洋只需要一道聖旨，根本沒有討價還價的餘地；某種程度上說，反而是一種榮耀。但歐洲人的理念與中國素來不同，歐洲的君主沒有至高無上的權力，不能像東方君主那樣為所欲為。但像《聖塔菲協議》這樣詳細、具體並授予探險者、冒險家這麼大的榮譽、職權和利益的協議，在歐洲歷史上也是空前的。臣屬在歐洲可以向君主討價還價，爭取自己的利益，極大地激發了冒險家的積極性。正是這種尊重個人權利的傳統，讓歐洲在科技發展的道路上一發而不可收。晚清洋務運動時，中國人常說的一句話：「人盡其才，物盡其用。」歐洲這時已經做到了。就是從這時開始，東、西方爭強的賽跑中，歐洲註定會占上風，大航海只是開端。

哥倫布首次遠航共投資約二百萬馬拉威迪，約為二戰前的一萬四千美元。其中國庫撥一部分，哥倫布東拼西湊一部分，帕洛斯的大船主兼航海家平松兄弟（Pinzón brothers），還有之前提過的財政顧問桑坦赫爾各借出了很大一部分，伊莎貝拉女王也變賣首飾投入一部分。

探險隊共籌備了三艘船，旗艦為聖瑪利亞號。該船後來失事，有關該船的情況都是後人的回憶、推測和研究的結果。該船載重約一百二十噸，一說是三桅掛四角帆的帆船，單甲板、有船樓。另外兩艘為平塔號和尼尼雅號，載重均約六十噸。

船帆上都有巨大的十字，昭示著傳播基督教和十字軍遠征。主桅上都掛著伊莎貝拉女王的御旗，旗面四等分，由兩種圖案組成，綠底金色城堡代表卡斯提爾，意即城堡，也是女王主治的自治邦；白底紫紅色雄獅代表雷昂，意即獅子，指的是另一個自治邦。雷昂王國原位於伊比利半島的西北部，後被卡斯提爾吞併，但保持一定的自治權。

船上除了配備有各種火炮長槍、彈藥箭矢等武器外，還備足了食品、淡水、酒、藥品、燈具、燃料、帆纜索具等航行用具和物資。探險隊還帶上許多玻璃珠、小鏡子、花帽子、銅鈴、襯衫、飾針、針線、花布、小刀、眼鏡、石球、鉛球等百貨用於交換。這些東西在歐洲不稀奇也不值錢，但在一些偏僻不開化的地方卻能換來高價，至少在緊急關頭能換來食物和淡水。總體來說，船隊還是以商貿為主，配備武器只是自衛。

哥倫布為艦隊司令，兼探險隊總指揮，坐鎮聖瑪利亞號。旗艦船長為德拉・科薩（Juan de la Cosa），馬丁・平松（Martín Alonso Pinzón）為平塔號船長，其弟文森特・平松（Vicente Yáñez Pinzón）為尼尼雅號船長。

探險隊裡有翻譯、醫生、地圖繪製員等專業技術人員，其中包括懂希伯來語、阿拉伯語的德・托雷斯（Luis de Torres）。船隊共有九十餘人，除哥倫布外還有四個非西班牙籍人，以及三個從監獄提出來的囚犯，以便派去幹最危險的事。

就這樣，哥倫布的首次西航開始了。

第九章 哥倫布發現新大陸

一四九二年八月三日，西班牙探險隊從帕洛斯港拔錨啟航。和以前葡萄牙人的船隊不同，過去即使航行到非洲的最南端，也是貼著大陸航行，遇到緊急情況可以立即靠岸，而哥倫布是第一次遠離大陸、深入大洋腹地，面臨的挑戰前所未有。為了盡量縮短航程，哥倫布先向西南，駛向加納利群島，這裡是西班牙領土的最西端。另一個原因，根據哥倫布測算，加納利群島在北緯二十八度，向西航行的目標是中國，但如果直接到中國航程過大，可以先到日本，而日本的緯度也在北緯二十八度。日本的實際緯度是北緯三十八度，哥倫布再一

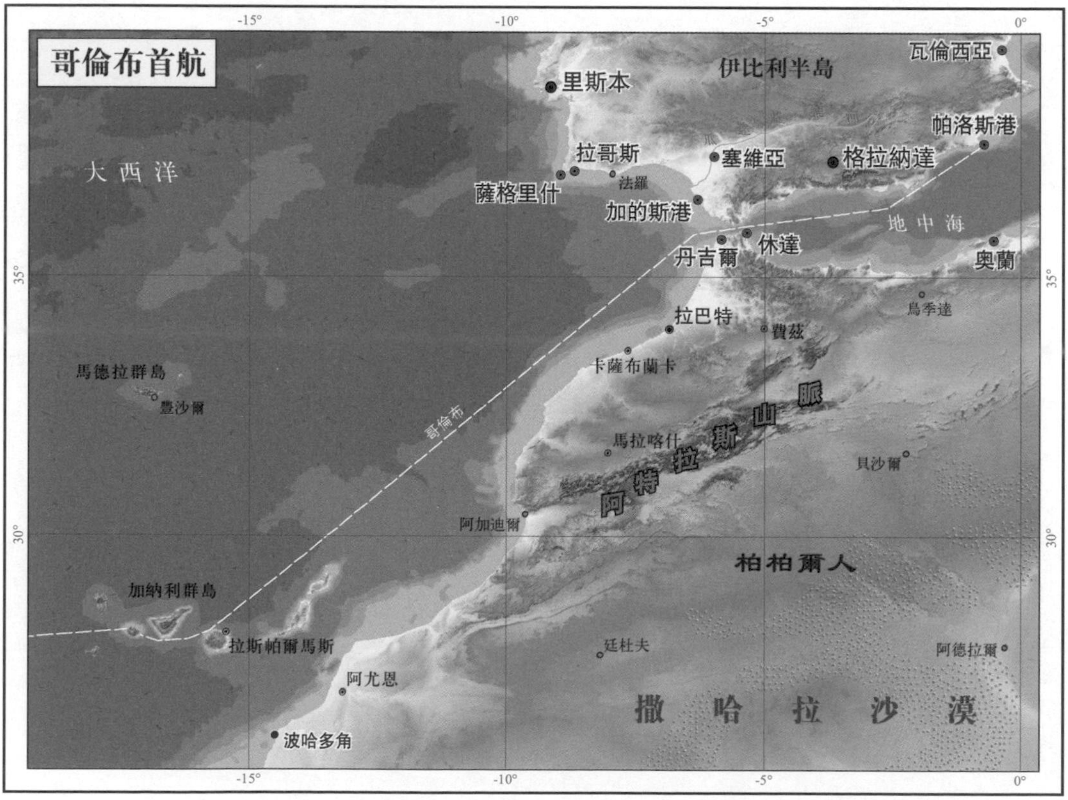

次算錯了。由此可見，哥倫布是個偉大的冒險家，卻不是個科學家。當然，以當時的技術，算錯也情有可原。

當時的技術能準確測量緯度，卻還不能測量經度。測量緯度的原理比較簡單，依據古希臘人留下來的科學著作，如果已知某個時間，就可以算出當天太陽直射點的緯度，例如春分、秋分在赤道，夏至、冬至在南北回歸線，那麼在大海中航行的船隻，只要在中午十二點，測出當地太陽高度角（太陽與地平線或海平線的夾角），然後用太陽高度角的餘角（直角三角形的兩個銳角互為餘角）加上直射點的緯度，就是當地的緯度。

這是白天，天氣晴的時候，如果是晚上，可以利用北極星，這樣更簡單，北極星的高度角即是船隻所在地的緯度。這個比較好理解，

緯度的計算

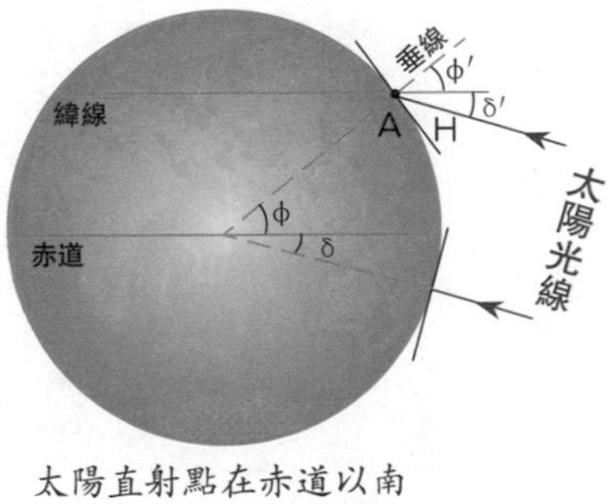

太陽直射點在赤道以南

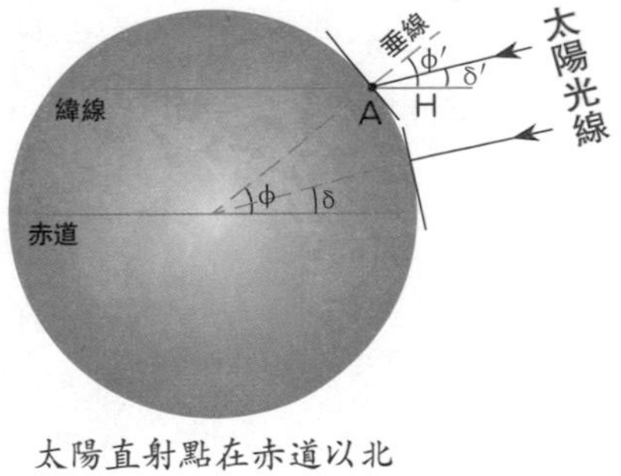

太陽直射點在赤道以北

計算公式：$\phi = (90° - H) + \delta$

φ為A點（當地）緯度。H為正午太陽高度角，（90° − H）為其餘角。

δ為太陽直射點的緯度，北半球取正值，南半球取負值。

如果是在赤道，北極星消失，高度為零度，緯度就是零度，假設到了北極，北極星就垂直在天空，高度是九〇度，緯度就是九〇度。如果在南極，看不到北極星時，之前提過，南十字座可以替代北極星的作用。

這兩種方法的運用，古希臘的幾何學都發揮了重要作用。當然，受限於船上的條件，即使是緯度測量也很粗糙。因為船在晃動，測出的太陽高度角或北極星的高度角很不準確。這一狀況直到十八世紀發明了六分儀才解決，它能很好地解決船體晃動造成誤差過大的問題。當然，任何測量工具都是人在使用，再精確的儀器也會有誤差，不管是過去還是現在，為了無限接近真實資料，任何測量都需要反覆多次，最後進行平差計算，使誤差最小。

經度的測量，原理很簡單，地球劃分為三六〇度，一天二十四小時後又循環往復，那麼每隔一小時就相差十五度，或者每隔一度相差四分鐘。假設以看日出時間為準，如果甲看到日出的時間比乙早了一個小時，那麼他們所處之地就相差十五度，其他的以此類推。但這些需要一個前提，就是精確的時鐘，以保證甲和乙使用的是同一個時間，這個問題到十八世紀鐘錶匠約翰．哈里森（John Harrison）出現才解決。

日出時間受地形和雲層影響比較大，更準確的方法是利用太陽高度角，即使不知道當地時間，一天當中太陽最高時的角度也可以確定。當然，有了精確的時鐘就省事多了。

正是緯度相對來說比較好測量，所以哥倫布要先到達加納利群島，然後從這裡往西，在海上保持同緯度航行，才不會迷路。

三天後，平塔號的船舵就壞了。船長馬丁・平松懷疑是兩個船員故意破壞，因為他們對這次遠涉重洋感到害怕，其中一人還是原船主。聖瑪利亞號和尼尼雅號只好先到加納利群島中的戈梅拉島補給、休整，平塔號則去大加納利島修理。

九月二日，離開帕洛斯港快一個月了，平塔號才趕到戈梅拉島會合。九月六日，船隊從戈梅拉島起航，與舊大陸的最後一塊陸地告別，向西駛入茫茫的大海。

九月九日，加納利群島最西邊的耶羅島最後也消失於地平線後，船隊駛入了深海，四周全是水天相接，漫無邊際。為了避免船員因遠離大陸而恐慌，從這一天開始，哥倫布有意隱瞞船速，少報已走過的航程。那時船上記錄時間的工具是沙鐘，也叫沙漏，而記錄船速用的是「節」。當時要記算船速很麻煩，於是水手們想出了一個辦法，用一條長繩，每隔一段距離打一個節，繩頭弄個木漂。測量船速時，把木漂扔到海裡，同時用沙鐘計時，在固定的時間，看木漂把繩子拉出多少節，就是船的速度，於是節成為航船特有的計速單位，一直沿用至今。後來人們把一切和大海緊密相關的運動物體如海流、海風等也用節做為速度單位。現代標準的一節就是每小時一海里，合每小時一・八五二公里。

哥倫布能隱瞞，正是因為當時計速的條件簡陋，測出的速度誤差很大，但恰好是哥倫布瞞報數據，反而與實際資料更接近。

九月十三日，有水手發現羅盤的磁針向西偏移。到十七日，磁針已經向西偏了一度。水手們開始惶恐不安，以為羅盤失靈。羅盤一旦失靈，意味著船隊失去方向，生死難料。面對突發情況，哥倫布很鎮定，他說這是北極星移動所致，不是羅盤失靈。然後他命令船隊向北走，發現羅盤恢復正常，由此證實自己猜測的正確性，因此測出了地磁偏角。

眾所周知，地磁偏角是因地理北極和磁極不一致造成的，水手們不是第一次用羅盤，當然知道磁針不會指向北極星，而是有一個夾角，但在傳統的歐洲海域航行時，磁針通常偏右，這次偏左，以我們現在的認知，說明他們已經走了很遠，北磁極由他們東方變成西方。要解釋這個原理，用常見的地圖很難說明問題。常見的地圖是以中低緯度為視角，在這種地圖裡，北極被無限壓扁了。可事實上地球是個圓體，我們可以以任何視角來觀察各種地理現象。要說明哥倫布遇到的問題，需要使用一種方位投影的地圖，把北極放在座標原點。

另外一個問題，地磁偏角的位置不固定，例如：一八三一年五月，英國極地探險家詹姆斯．克拉克．羅斯爵士（James Clark Ross）是世界上第一個確定地磁北極的人，他當年測定的地磁北極位置是在北緯七〇．一度、西經九六．八度。

經歷代科學家的測定和計算，地球的磁極以每年不平均的速度和不同方向在運動。地磁南極是向北、向西移動，地磁北極也是向北、向西移動。一九八〇年測得的地球的地磁北極位置是北緯七八．二度、西經一〇二．九度；一九九六年測得的地磁北極位置是北緯七九度、西經一〇五．一度。

所以說，地磁北極的位置是飄忽不定的，而且移動方向也沒有規律。

假設當年哥倫布橫渡大西洋時的地磁北極在圖中的A點，就是東經一三〇度這條經線上。這種情況下，傳統的歐洲航海者使用羅盤測定方位時，地磁北極在他們的東方，磁針的指向偏東。當哥倫布沿著北緯二八度向西橫跨大西洋時，只要穿過了西經五〇度這條經線，羅盤的指針就會偏西。因為西經五〇度和東經一三〇度是一條直線，此時地磁偏角已經在航海者的西邊了。途中哥倫布曾讓船隊向北，磁針又恢復正常，其實這時他回到了西經五〇度以東（假設）。只有正好處在西經五〇度這條經線上時，磁針才會不偏不倚，但在實際操作中幾乎不可能。

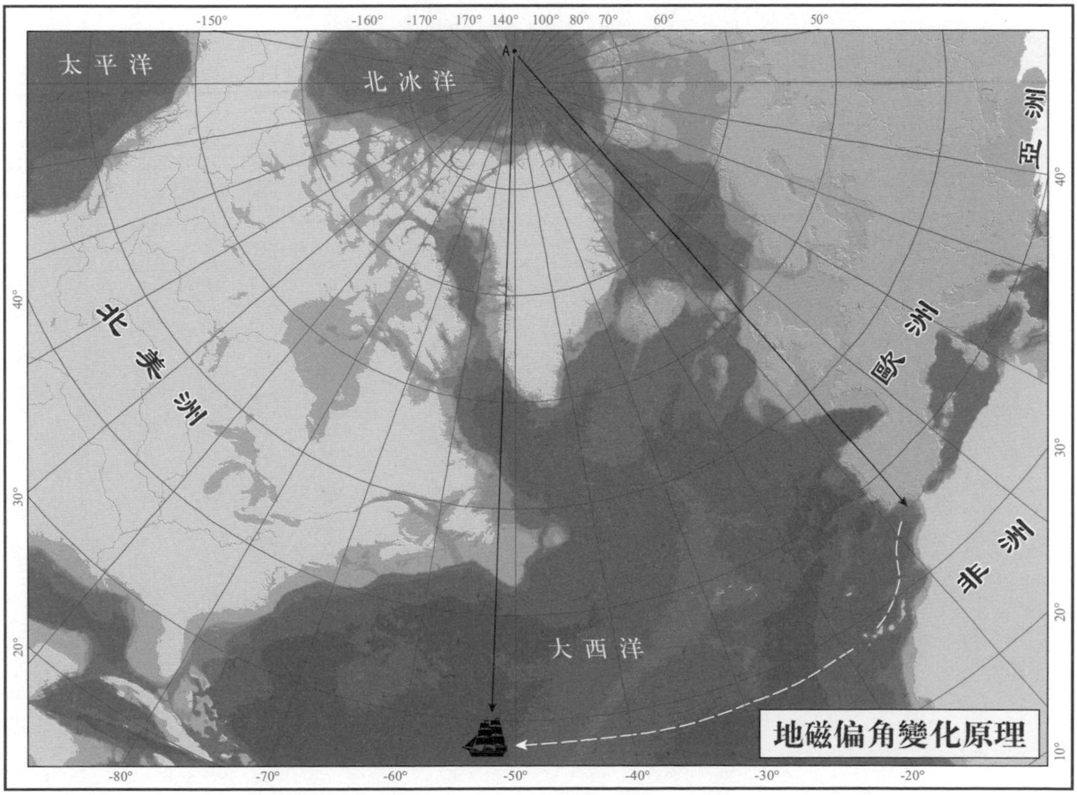

我們無從得知哥倫布年代地磁北極的具體位置，但至少說明他憑藉豐富的航海知識，已經知道地磁北極和地理北極存在這種錯位關係。無論如何，地磁偏角的變化說明哥倫布離開舊大陸已經很遠了。

從九月十四日起，探險隊不斷發現有海鳥從天空飛過，水手們以為離陸地不遠了，但現實讓他們一次次失望。九月十六日，探險隊發現海上漂著成束的綠草，像剛從地面割下來的一樣。船員們再次興奮不已，以為接近了陸地，後來才發現是進入了馬尾藻海，而馬尾藻海被後來的航海家們稱為「海上墳地」。

馬尾藻海有兩個特點，一是無風。在風帆時代，沒有風就不能航行，船隻一旦進入，很難出來。二是海上布滿馬尾藻，馬尾藻和我們常吃的海帶差不多，只不過它不是長在海底的石頭上，而是漂浮在海面，能把帆船死死地纏住。更恐怖的是，這片海域極為廣大，約有二千海里長、一千海里寬，遠遠看去像一片大草原。正好位於北大西洋暖流、加納利寒流和北赤道暖流之間，又處於無風帶（北緯三〇度附近），因而這裡的海水幾乎沒有流動。不僅是水平方向沒有流動，縱向也沒有流動。也就是說，深層海水和淺層海水之間沒有交流，意味著沒有營養物質的交換，所以表層海水非常純淨，能見度達六十六．五公尺，個別海區可達七十二公尺，是世界上能見度最高的海。所謂水至清則無魚，這裡幾乎沒有魚類生存。探險隊到了這裡，一旦被困住，捕捉不到可供食用的魚類，最終會因淡水和食物用盡而死亡。

馬尾藻海的西邊是著名的百慕達三角，具體位置是指由百慕達群島、美國的邁阿密和波多黎各的聖胡安三點連線形成的一個西大西洋三角地帶，每邊長約二千公里。百慕達三角又稱魔鬼三角海域，實際上是馬尾藻海的延伸，這個恐怖的名稱來由和馬尾藻海相同。自哥倫布以後，無數的船隻在這裡覆沒。甚至直到今天，遠洋船隻還會繞開它走。

當然，馬尾藻海不是密密麻麻地布滿海藻，還是有很多空隙，只要經驗老道，從裡面出來不是不可能。而哥倫布就是一個經驗老道的航海家，探險隊很幸運，從馬尾藻海的南部穿了過去。

九月二十日，哥倫布下令測量海水的深度，繩子放下去三百多公尺仍不見底。九月二十三日，船員開始出現怨言，哥倫布置之不理。怨言愈來愈多，有的船員企圖叛亂，哥倫布努力說服，並宣稱一定要到達西印度，不達目的誓不甘休。但這不能平息船員的恐懼和怨恨，十月六日，哥倫布在旗艦上召集船長、大副等要員開會。會議上，哥倫布努力勸大家說現在離西班牙已經很遠，而離印度愈來愈近，往前走比回去更安全。會議經過爭論後最終決定，再向前航行五天，五天之內如果還看不見陸地就返航。

十月十一日，五天的期限到了，仍不見陸地，但水手們陸續發現一些蘆葦、藤莖，還有一棵小樹，最主要的是一根被砍削過的木棍，還有一塊被加工過的木板。很顯然，這是人類才會留下的痕跡，船員們心底又升起希望。

晚上十點鐘，哥倫布發現前方有亮光，忽明忽暗，確信陸地已近，便命瞭望手仔細查看。

一四九二年十月十二日凌晨兩點，平塔號的值班員確鑿無疑地看見了陸地。上午，哥倫布一行經過三十多天不見陸地、不靠岸的航行後，終於抵達並登上西半球的第一塊陸地。這是一個珊瑚島，當地人將這個島稱為瓜那哈尼島，哥倫布命名為聖薩爾瓦多島（今巴哈馬境內）。哥倫布以為他到了印度，於

是把當地人稱為印度人，為了區別，
我們翻譯為印第安人。

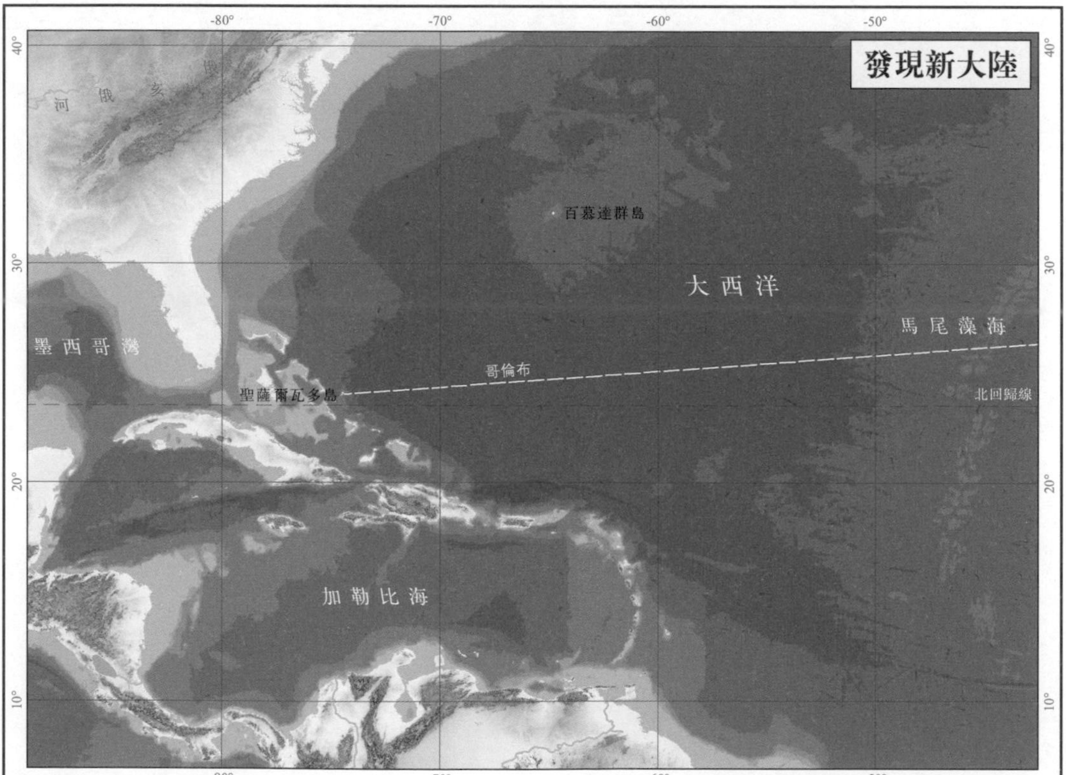

第十章

哥倫布的偉大發現——信風

聖薩爾瓦多島是巴哈馬群島中一個很小的島嶼，長二十一公里，寬八公里，面積只有一百五十五平方公里。哥倫布上岸後，舉行了占有儀式，宣布以國王和女王的名義占有該島，並讓隨行人員做了公證和記錄。

島上的居民是印第安人中的泰諾人，泰諾人主要分布在加勒比海地區。當哥倫布到來時，他們還處於原始社會後期的新石器時代。直白點說，這裡比葡萄牙人到達的非洲還要落後。這也是哥倫布一行敢這麼張狂的原因，如果真是到了印度，文明程度相差不大，哥倫布肯定要先打聽國王住在哪裡，然後想辦法遞上國書，得到許可後，才可以開展貿易。

雖然張狂，但畢竟初來乍到，人生地不熟，一開始哥倫布一行人對當地土著還很客氣，用玻璃球、小鈴鐺、帽子等和泰諾人交換了棉線、鸚鵡、木質投槍等物品。透過近距離觀察，哥倫布發現泰諾人的男女老幼均一絲不掛，身上塗滿顏料。沒見過鐵器，當西班牙人把劍給他們看時，他們竟拿著劍刃把手割破了。哥倫布還發現，這些人身上經常有傷痕，說明他們經常和附近的部落產生衝突。這一切的一切，和馬可・波羅所說的富饒文明的東方國度相差太遠。因此哥倫布斷定，這裡地處亞洲的東部邊緣，這個島應該是日本群島的周邊島嶼。

在島上考察、休整了兩天後，哥倫布一行人開始去尋找黃金和寶石，以及他想像中的那個日本島。對哥倫布來說，他的主要任務是來賺錢的，否則回去無法向那些投資者交代，包括西班牙女王在內。

哥倫布雇用了六名泰諾人做為嚮導和翻譯，十月十四日，哥倫布的船隊發現了聖薩爾瓦多島西南的拉姆島，哥倫布用自己的旗艦名替它命名為聖瑪利亞島。此後，他們先後發現了斐迪南島（今長島）、伊莎貝拉島（今克魯克德島）和哥倫布沙洲（今胡門托斯群島）。在這些地方，哥倫布沒有發現黃金，卻發現了美洲獨有的重要農作物玉米、馬鈴薯和甘薯。這三樣東西對哥倫布來說一文不值，只是做為到達新大陸的證據，卻在後來促使世界人口激增。以中國為例，中國南方（特別是東南沿海地區）山地多，土壤貧瘠，不適合種植水稻和小麥，但可以種植玉米、馬鈴薯和甘薯。這三樣東西有一個共同的特點，對土壤的要求很低，山坡地帶的砂土都可以種植，而產量卻很高，可以養活大量人口。哥倫布把這三樣東西帶回歐洲後，明朝末年傳入中國，到了清朝初年，中國人口一下子達到前所未有的三億，以至於乾隆皇帝誤以為是「康乾盛世」的功勞。在中國，這三種外來農作物還有很多別稱，例如玉米又叫包穀，因為很像含苞待放的穀穗，只不過是放大版的；馬鈴薯因為形狀酷似馬脖子上繫的鈴鐺而得名，中國北方人習慣叫土豆，南方人習慣稱洋芋，因為很像土生土長的芋頭，但是漂洋過海來的；甘薯的種類很多，叫法五花八門，有的叫紅薯，有的叫白薯（品種略有差異），有的叫地瓜，還有些叫苕。這三種農作物中，玉米是純糧食作物，一般情況下，產量只比小麥高一點，但比水稻低，而且口感差，只能做為主食的補充。馬鈴薯和甘薯屬於薯類，相對於中國傳統的薯類作物如山藥、芋頭，它們的產量大得嚇人，口感也很好，迅速占領了中國人的餐桌。其中尤以馬鈴薯的貢獻最大，可以說是南北通吃，南方人很少吃玉米，北方人比較少吃紅薯，但馬鈴薯卻不分南北，人人喜愛，不僅可以當主食，也可以當蔬菜。

印第安人還培育了一種今天不太常見的農作物——木薯。木薯的塊根有點像山藥，呈棍狀，但木薯的根、莖、葉都含有毒素，處理不好容易讓人中毒，這也是難以廣泛種植的原因之一。另一個原因是木薯適合生長在熱帶地區，最早由生活在亞馬遜熱帶雨林的印第安人培育出來，而後傳播到加勒比海的島嶼上，成為當地印第安人的主食。印第安人不僅拿木薯當主食，也從中提取毒液塗抹在弓箭和木槍上，用來打獵或對付敵人。木薯加工成粉後能保存很長時間，後來歐洲的水手們經常把木薯粉帶在船上做為口糧。木薯粉做出的食品很有彈性，今天我們常喝的珍珠奶茶，裡面的珍珠就是木薯粉做的，還有水晶蝦餃的餃子皮，通常也是用木薯粉做的。

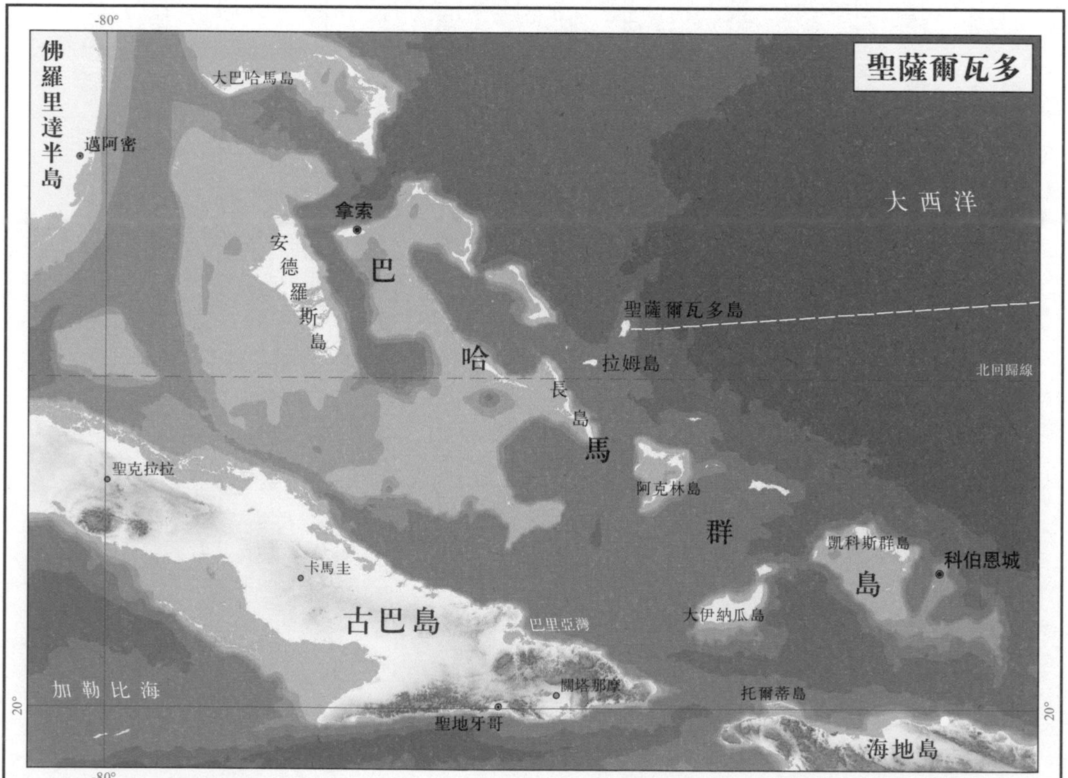

農作物對哥倫布來說只是個無意中的發現，他要找的是黃金和香料。船員們從嚮導口中得知，西南方向有個大島叫科爾巴島（今古巴島），哥倫布以為那就是日本主島，於是駕船前往。

十月二十八日，船隊抵達今古巴東北奧特連省的巴里亞港灣。哥倫布既沒有發現金銀珠寶，也沒有發現富饒文明的中國、日本或印度的跡象；卻發現了像金子一樣值錢的植物——菸草。按哥倫布日記裡的記載，他派了兩個基督徒去朝見蒙古大汗，結果這兩人一路上看到一些奇怪現象：很多村子裡的人，有男有女，手裡拿著一根木棍，一頭冒著青煙，不時地吸一口，還從鼻孔裡噴出來……據說能緩解疲勞，讓人產生頭暈的感覺。很快，西班牙人學會了抽菸，並把菸草傳遍全世界。

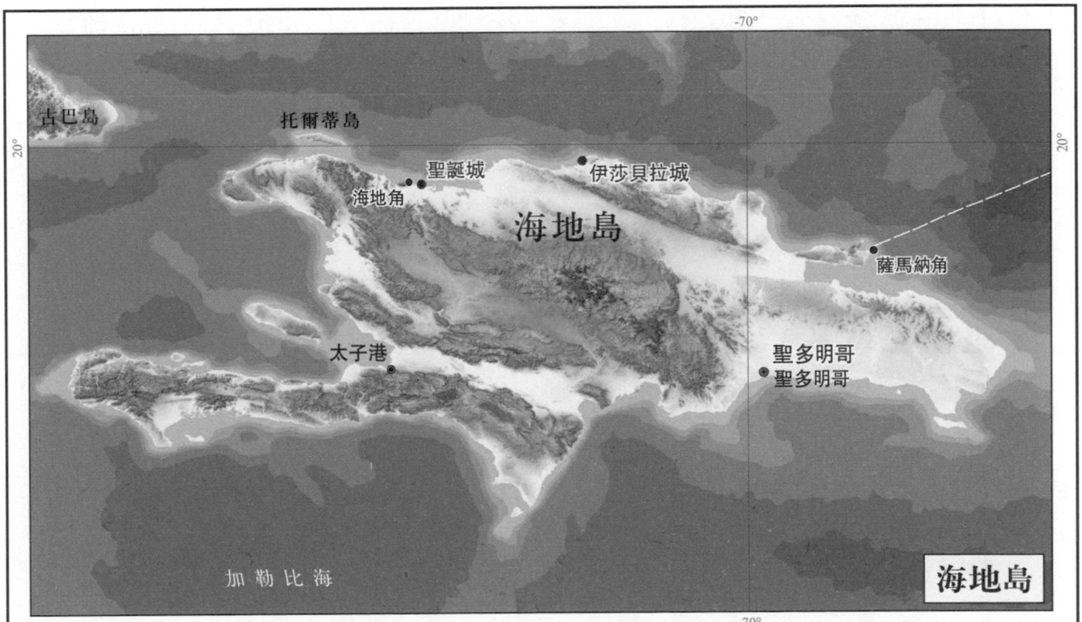

哥倫布以為古巴是中國最貧瘠的地方，中國以東也許就是富饒的日本群島。他從土著那裡打聽到，東方不遠處有一個盛產黃金的巴比克島（今大伊納瓜島），東南方附近還有一個大島，叫波希奧島（今海地島）。他們沿古巴海岸東行，十一月上旬，哥倫布綁架了十幾名印第安人，這是他們遠航以來幹的第一起強盜勾當。十一月二十日，馬丁・平松率領平塔號擅離編隊，前往巴比克島尋找黃金。十二月六日，哥倫布船隊進泊今海地島最西端的聖尼古拉港灣，哥倫布將它命名為伊斯帕尼奧拉島（意為「西班牙島」），並以為這裡就是日本。

十二月九日，哥倫布在海地西北的蚊子岬山坡上舉行占有儀式，他們在這裡找到了不少黃金。十二月二十一日，哥倫布一行來到海地西北部的龜島（今托爾蒂島），當地酋長送給哥倫布一些禮物，其中包括一個黃金面具，西班牙人很高興。

十二月二十五日，也是耶誕節，因值班水手的疏忽，旗艦聖瑪利亞號在海地角以東的海岸擱淺，搶救無效，旗艦徹底損毀。好在有印第安人的幫忙，船上的物資都搬出來了。這時哥倫布只剩下尼尼雅號一艘小船，裝不下那麼多人，於是決定把三十九名志願者留在島上繼續尋找黃金，其餘的人隨他返航。當天，探險隊用聖瑪利亞號殘存的木料搭建營房據點，並命名為聖誕城（納維達德堡）。

哥倫布為留守人員留下了大部分糧食、所有的百貨和一些槍炮彈藥。一四九三年一月二日，探險隊與印第安人告別，還放了幾炮以彰顯實力。一月四日，尼尼雅號離開聖誕城，向東航行尋找平塔號。一月六日，在海地島北部的蒙特克里斯蒂（今多明尼加共和國境內），尼尼雅號與平塔號相遇，兩船合為一隊後往東到達薩馬納角，準備在這裡休整後返回歐洲。

一天，約五十多個印第安人揮舞著弓箭和繩子向西班牙人衝過來。西班牙人拔劍迎擊，刺傷了三個土著後，其餘的倉皇逃走。對西班牙人來說，島上部落有的熱情好客，有的野蠻無理。這和葡萄牙人在非洲碰到的情況不一樣，在非洲，只要搞定當地的國王，一切問題都迎刃而解。但在美洲（哥倫布眼裡的西印度），這裡沒有一個統一的國王，部落眾多且分散，不確定的因素更多，西班牙人很沒有安全感。

一月十六日，尼尼雅號和平塔號離開薩馬納灣，開始返航。哥倫布仍然採用等緯度航行法，先向北偏東航行。一月二十二日，船隊越過了來時的航線緯度北緯二十八度。二月三日，船隊在百慕達群島以東約八百公里、北緯三〇度的地方遇到強勁的西風，便轉向東行駛。

按理說，如果哥倫布按原路返回，對一路上會碰到的情況還有心裡準備，選擇一條完全陌生的路無疑會增加新的風險。做為經驗豐富的航海家，哥倫布當然知道當中的不確定因素會帶來什麼風險。之所以這麼做，是因為他有了一個偉大的發現，就是信風。

哥倫布早年在馬德拉群島定居時，就注意到信風的存在，後來走南闖北的日子裡，也注意觀察，因此對信風的規律有所了解。做為旁觀者，我們有必要對信風的原理有所了解。

首先要確定一點，風的產生是由於各地不同氣壓產生的，而各地不同的氣壓又是因為大氣環流。先說大氣環流。

理想的狀況下，地球的赤道熱，兩極冷，冷熱不均必然引起熱量交換，以達到最終冷熱均勻。就像往一盆熱水裡加入冷水，哪怕是加在一側，不用攪拌，最後整盆水的溫度也會一致，這就是熱量交換的結果。

假設沒有別的因素影響，赤道附近的熱空氣會向兩極流動，而南北兩極的冷空氣同樣會往赤道跑。這就是地球的熱量交換，最終目的是讓赤道不那麼熱，兩極不那麼冷。

但這是理想狀況，地球並非靜止不動，它在自轉，會產生科氏力（地轉偏向力）。科氏力說白了就是因為物體的慣性產生的，但地球不是一個平面，而是一個球體，就造成科氏力在南北半球表現不同。總體來說，北半球往右偏，南半球往左偏。

不管是從赤道來的熱空氣，還是從兩極來

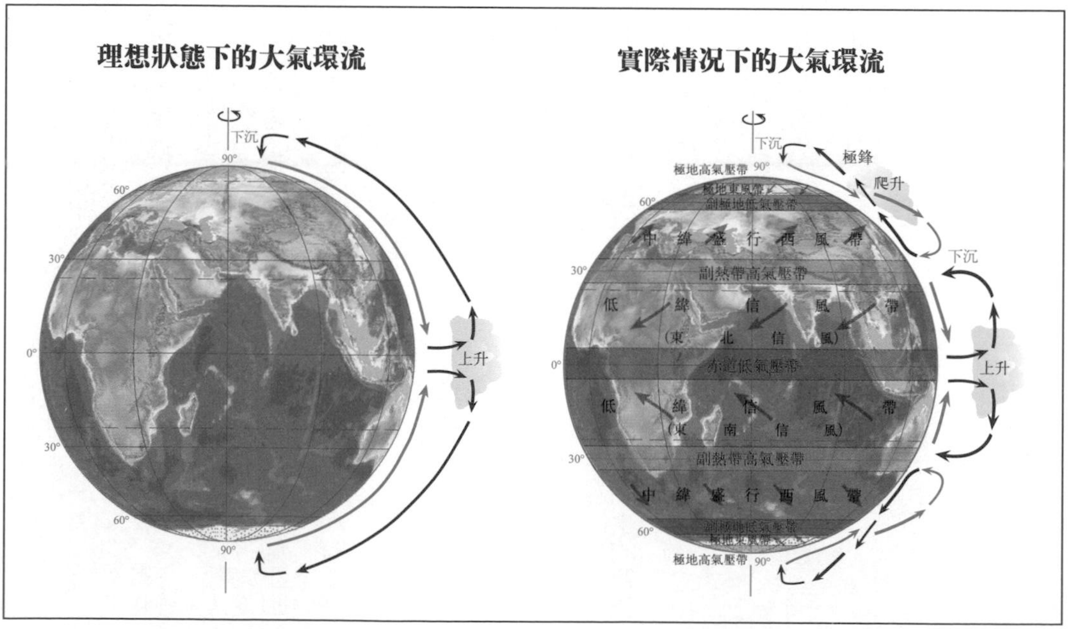

的冷空氣，都會受科氏力影響。以北半球為例，當赤道的熱空氣往北極移動時，由於科氏力的影響，愈來愈偏東，最終在到達北緯三十度時，已經沒有向北的動力，完全成為往東的氣流；純粹往東的氣流解決不了熱量交換，於是開始下沉。下沉後的空氣失去向東移動的動力，因熱量交換的需要，又開始向北移動。當它移動到北緯六十度時，還是因為科氏力的作用，再次失去向北的動力，又因為是熱空氣，於是開始爬升到高空，最後到北極才開始下沉。

與此同時，北極的冷空氣在向南移動的過程中，因為科氏力的作用，到達北緯六十度時，失去南下的動力；同時受北上暖空氣在地面附近的擠壓，被迫抬升爬向高空。到了高空後，因為熱量交換的需要繼續南下。到達北緯三十度後，受科氏力影響，再次失去南下的動力而下沉。到達地面後，因熱量交換的需要繼續南下，這次因為熱空氣在高空，冷空氣就貼著地面一直到赤道。

我們看到因為科氏力的影響，大氣環流最後形成了三個圓圈才完成熱力交換，就是三圈環流，三圈環流最後在不同緯度形成不同的氣壓帶和風帶。

在赤道，因熱空氣上升，形成低壓；北緯三十度附近，因熱、冷空氣同時下沉，形成高壓；北緯六十度附近，熱、冷空氣同時上升形成低壓；在北極，熱空氣下沉形成高壓。南半球同理，後面不再贅述。

在赤道、北緯三十度、北緯六十度和北極附近，只有空氣的縱向移動，沒有水平移動，所以這四個地帶都是無風帶。

四個無風帶之間有空氣的水平移動，就形成三個風帶。其中赤道到北緯三十度之間，是南下的冷空氣，本來應該是北風，但因為科氏力的作用，造成北風往右偏，結果就變成東北風。北緯三十度和六十度之間，是北上的熱空氣，本來應該是南風，也是因為科氏力的作用，結果變成西南風。同理，北緯六十度到北極之間形成東北風。

這三個風帶常年盛行，一年四季都不會變化，很講信用，所以稱為信風。為了容易區分，我們習慣上把低緯度的盛行風稱為東北信風，中緯度盛行的稱為西風，極地的稱為東風。

熱空氣在上升的過程中遇冷，因水氣凝結而形成降雨，所以赤道一帶多雨。同時，相同體積的空氣中，溫度愈高的空氣能容納的水氣愈多，所以熱帶地區的雨水極其豐富。這一作用反映在地表上就是熱帶雨林。從全球來看，亞馬遜雨林、剛果雨林、東南亞雨林都是熱帶雨林，都是赤道低壓造成的。

北緯三十度附近，不管冷空氣還是熱空氣，都是下沉，愈貼近地面氣溫愈高，氣溫愈高愈能容納更多水氣，空氣中的水氣不僅不會凝結，反而飽和度變低了，如果附近有點水氣還會被吸進來，所以這一帶不僅不下雨，還非常乾燥，在它的影響下，地球出現一系列的熱帶沙漠，例如撒哈拉沙漠、塔爾沙漠（印度大沙漠）、美墨邊境線上的沙漠。還有南半球的大維多利亞沙漠和之前提過的納米比沙漠，原因相同，因為它們處於南緯三十度附近。前面提到的馬尾藻海的形成也離不開副高壓的影響。

這裡正好談談為什麼北緯三十度的長江沿線沒有受到副高壓的影響形成沙漠，反而成為魚米之鄉。綜前所述，這一切的原因都歸於大氣環流，大氣環流的活動範圍在海拔四千公尺以內，而青藏高原平均海拔就是四千公尺，超出四千公尺的山脈比比皆是，大氣環流到青藏高原就被擋住了，因此受信風的影響極小，主要是受季風的影響。所以說，青藏高原對中國來說太重要了，不僅為中國的幾條大河提供水源，還改變了整個中國的氣候，就連靠近青藏高原的印度也跟著沾光。印度的西邊因為受副熱帶高壓的影響，在印度河的中下游形成塔爾沙漠，但東部和南部主要受季風影響，成為世界上最大的糧食產地之一。季風氣候最大的好處是雨熱同期，是最適合發展農業文明的氣候。

順便補充一點，中國的西北地方也有很多沙漠，但那是溫帶沙漠，和副熱帶高壓沒有關係，主要是深處內陸、遠離大海，乾旱少雨造成的。

北緯六十度附近的副極地低壓帶，受上升氣流的影響，所以是一個多雨帶。但這一帶的雨和赤道無法比，一是這裡氣溫低，空氣中的水氣含量有限；二是上升氣流中有一股本身就是冷空氣，含水量低。同時，這裡緯度高，有時下來的不是雨，而是雪。例如莫斯科，受副極地低壓的影響，夏天陰雨連綿，冬天大雪紛飛，如果有一個陽光燦爛的日子，就顯得彌足珍貴。

南北兩極常年盛行東風，氣候惡劣，不適合人類生存。至於極點，更是人類生存的極限。

與幾個氣壓帶相比，處於信風帶的地方顯得多彩多姿，各種氣候五花八門。這裡的氣候除了受氣壓和大氣環流的影響外，還受洋流、地形等因素影響，在後續的章節裡會逐步了解。

當然，氣壓帶和風帶的位置不是固定不變的，受太陽輻射影響，夏季會略偏北一點，冬季偏南一點，移動幅度大約五度左右。之前多次提過地中海氣候，現在解釋起來就比較清楚了。地中海處於北緯三十度～四十五度，正好位於副熱帶高壓和西風帶之間。夏天，氣壓帶和風帶北移，地中海主要受副熱帶高氣壓帶控制，於是形成乾旱少雨的氣候；冬天，氣壓帶和風帶南移，地中海主要受西風帶影響，西風把大西洋的水氣吹向內陸，於是形成陰冷多雨的氣候。另外，地中海的西端，就是直布羅陀海峽，北面是伊比利半島，本身就是高原地形，而南面的阿特拉斯山脈也是一道天然屏障，大大削弱了西風對地中海海面的影響。於是在夏天，由於副熱帶高壓，地中海風平浪靜；而冬天，雖然有西風，風力並不大，這就是傳統的地中海航船都是以人力為主的原因。地中海一帶正是受副熱帶高壓和西風帶輪流控制，才形成一種典型的氣候類型。但地中海氣候不只是產生在地中海一個地方，只要具備相同的地理條件，這種氣候就會產生。例如迪亞士發現的好望角，這一帶處於南緯三十五度左右，也是典型的地中海氣候。歐洲人後來喜歡移民到這裡，其中有個重要的原因就是這裡的氣候和地中海一帶一樣，不會有水土不服的不適感。

反過來看，大氣環流如果真的處於理想狀況，對地球上的生命將是一場災難。假如地球沒有自轉，那麼從兩極到赤道，都是常年盛行乾冷的北風，只有赤道地區有降水。那時地球上會是一個什麼狀態？很簡單，赤道附近一片沼澤，其他地方全是荒漠，生命能不能產生都是一個問題。地球自轉，讓大氣的運動變得複雜，同時也讓地球上的生命多彩多姿。

哥倫布不了解地球的自轉、大氣環流這些知識，但憑藉著多年的觀察，他對信風的運行規律還是有心理準備的。接下來，讓我們看看哥倫布如何憑著多年的航海經驗返回舊大陸了。

第十一章

返回西班牙——發現加勒比海地區

哥倫布從加納利群島往西航行時，沿北緯二十八度航行，正是利用東北信風；返航時，沿北緯三十八度航行，正是利用盛行西風。

一四九三年二月十二日，哥倫布往東航行時，遇到暴風雨，持續了四天，風力達到八級。狂風暴雨中，十三日晚間，尼尼雅號和平塔號走失。哥倫布感到性命不保，把發現西印度的事情寫了下來，還抄寫了一份副本，分別裝在兩個漂流桶裡，其中一個扔進了大海，另一個放在船上。他想，即使他死了，後人也該知道，從大西洋往西也可以到達「印度」。

二月十五日，船員們發現亞速群島就在不遠處，所有人都鬆了一口氣，這意味著他們離舊大陸不遠了。二月十八日，尼尼雅號停靠在亞速群島中的聖瑪利亞島休整。二月二十四日，尼尼雅號重新啟航，沒想到又遇上暴風雨，這回持續了六天。無奈之下，只能就近駛向葡萄牙，於三月四日停靠在里斯本。

哥倫布在里斯本先拜見了已經功成名就的迪亞士，然後去拜見葡萄牙國王約翰二世。哥倫布對約翰二世說他發現了西印度，那裡遍地都是黃金和香料，言裡言外又埋怨當初國王不信任他，以致喪失大好機會。約翰二世當然後悔不迭，相對於哥倫布發現西印度，迪亞士發現好望角的事根本不值一提。但後悔沒有用，這一次顯然讓西班牙占了上風。不過約翰二世突然想起一件事，根據一四七八年葡萄牙與卡斯提爾簽署的《阿爾卡索瓦什合約》規定，加納利群島以南歸葡萄牙，以北歸卡斯提爾（西班牙前身），而這次哥倫布發現的島嶼都在加納利群島以南，理應歸葡萄牙所有。

哥倫布一聽傻眼，匆匆別過。三月十三日，尼尼雅號從里斯本啟航，十五日中午回到出發地帕洛斯。幸運的是，馬丁．平松率領的平塔號經歷九死一生後，也在當天下午回到帕洛斯。至此，人類歷史上空前的二百二十四天遠航探險最終勝利結束，西班牙國王與王后正式承認《聖塔菲協議》中許諾給哥倫布的一切權利和利益。

當然，哥倫布把約翰二世的話帶給了伊莎貝拉女王。葡萄牙認為西班牙侵犯了自己的利益，一面向西班牙提出抗議，一面向羅馬教皇告狀，還打算派遣海軍去搶西印度。西班牙當然毫不相讓，一面命海軍艦隊做好應戰的準備，一面向教皇請求調解。當時的教皇是亞歷山大六世（Pope Alexander VI），西班牙人，而且是靠著西班牙女王的支持才當選的，毫無疑問，這個忙是要幫的。一四九三年五月四日，亞歷山大發布教諭，以維德角群島以西一百里格處的經線劃分兩國的勢力範圍。分界線以西屬西班牙，以東屬葡萄牙，就是所謂的教皇子午線。葡萄牙對這條教皇子午線很不滿意，仍想按一四七八年的《阿爾卡索瓦什合約》的原則劃分，但形勢已對葡萄牙很不利。一四九三年九月二十五日，哥倫布帶著龐大的船隊第二次前往西印度。第二天，教皇發布教諭，撤銷了《阿爾卡索瓦什合約》。約翰二世一看，只能在教皇子午線上討價還價了，以保住現有的成果要緊。畢竟，從非洲繞過好望角也可以去印度。

一四九四年六月七日，在教皇的調解下，葡萄牙和西班牙簽訂協議，把分界線向西移至維德角群島以西三百七十里格處。分界線以西歸西班牙，分界線以東歸葡萄牙。這就是修改後的教皇子午線。

所謂的里格，是緯線出現以前繪圖時常用的方法，今天的繪圖作業中經常用到方里網就是一種里格。具體來說，就是在圖紙上畫出方格，每個方格的邊長代表實際中的一里，便於地圖的拼接，也能最

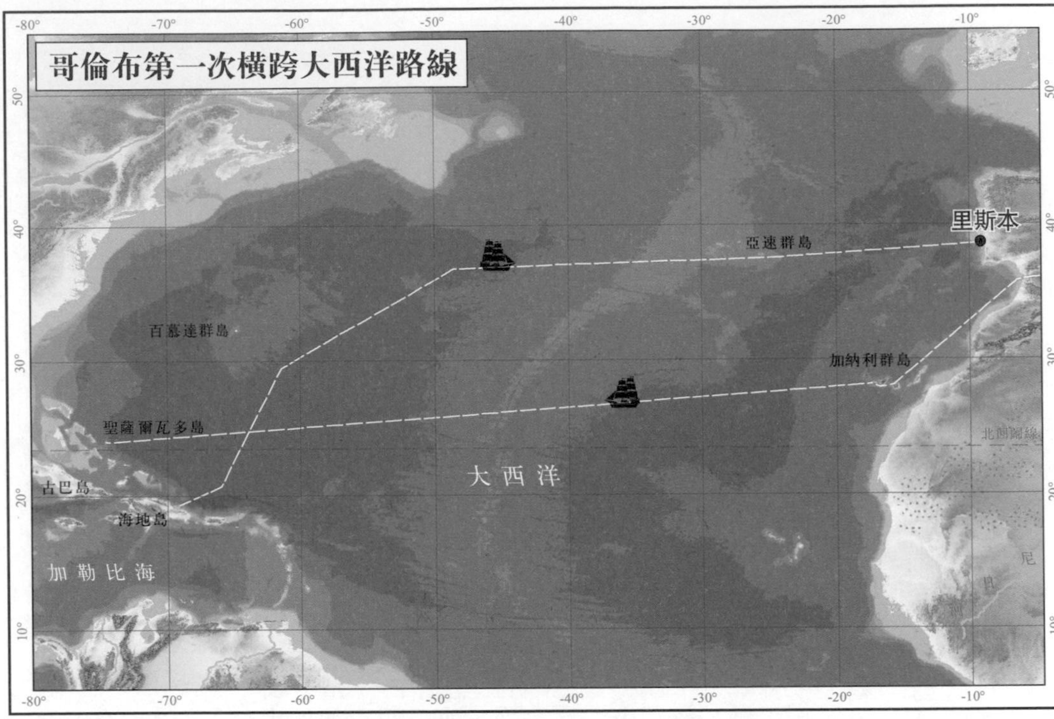
哥倫布第一次橫跨大西洋路線
里斯本
亞速群島
百慕達群島
加納利群島
聖薩爾瓦多島
北回歸線
大西洋
古巴島
海地島
加勒比海
尼
日

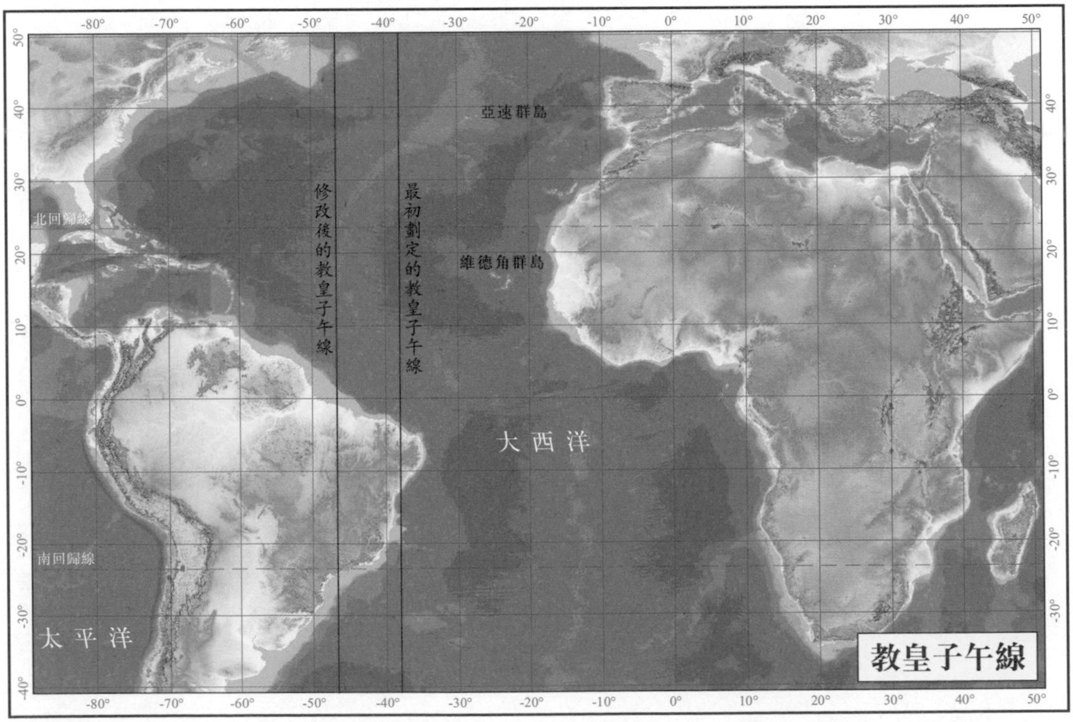
亞速群島
修改後的教皇子午線
最初劃定的教皇子午線
北回歸線
維德角群島
大西洋
南回歸線
太平洋
教皇子午線

大程度地保證地圖中各要素相對位置的正確性。今天的方里網通常以公里為單位，但在十五世紀，里格的單位卻不固定，有羅馬里、英里、海里等。雖然後人普遍認為教皇子午線應該是用羅馬里（約五．九二公里），但教皇子午線的具體位置仍有爭議，原因在於它不精確。一般認為，初期的教皇子午線在西經三十八度左右，而修改後在西經四十六度左右。對當時的西、葡兩國來說，教皇子午線很好地保障他們的既得利益。當時他們還不知道有個美洲大陸，也不知道這條線穿越了南美洲大陸，否則不會這麼爽快簽約。

教皇子午線的劃分讓西、葡兩國避免衝突，繼續把目光投向遠洋探索中。

第二次西航，哥倫布就風光多了。第一次西航時，很多人對哥倫布的說辭表示質疑，當他從西印度群島帶來黃金、當地特產和六個印第安人時，沒有人再質疑他的話，於是各種投資紛至沓來。這一次，哥倫布組織了十七艘船、一千五百人。單就人數來說，是上一次的十幾倍。對遠洋航行來說，船隊愈大愈安全，所謂勢單力薄，在海上尤其明顯。一千五百多人中，除了船員，還有官員、教士、農夫、工匠，他們還攜帶了大量口糧、種子、家畜和各種工具。很顯然，和上回單純的探尋新航路不同，這一次，西班牙人要在西印度殖民。

有了上次的經驗，哥倫布這次去西印度就很順利了。九月二十五日，船隊從加的斯港出發。和上回一樣，還是先到加納利群島；不一樣的地方是，船隊先往西南，再向西航行，這樣可以更好地利用東北信風。第一次西航時，哥倫布實際是貼著東北信風帶的邊緣走，很容易闖入副熱帶高壓無風帶（進入馬尾藻海就是個例子）。這次到達加納利群島後，先往南航行十度，這樣不但安全性提高，而且東北信風更強勁，只用了二十天就到達西印度群島。透過第二次航行，哥倫布發現一條從歐洲到西印度的最佳航線。這條航線既可以最大程度地利用東北信風，也避免了像第一次那樣誤入馬尾藻海的風險。而返航則和第一次相當，亞速群島同緯度地帶就是盛行西風帶。那麼唯一的問題就是，從西印度群島如何穿過無風的副熱帶高壓氣壓帶？

從西印度群島到北緯三十八度附近，需要穿越一千多公里的無風帶，在以風帆為動力的年代，這是很要命的。而且從西印度群島往北，是恐怖的馬尾藻海和百慕達三角，任何一支船隊想穿過這裡都需要極大的勇氣。

好在天無絕人之路，西印度群島有一股強勁的洋流，由南往北而去，就是北大西洋暖流，來源於北赤道暖流。當北赤道暖流進入加勒比海後，加勒比海無法安放那麼多海水，於是沿北美大陸往北流去，形成北大西洋暖流。北大西洋暖流很強大，不僅影響美洲和大西洋的氣候，還改變了整個北歐的氣候。

也許是運氣好，哥倫布早在第一次西航時就發現了這股洋流，並順流來到百慕達群島東北方向，然後就遇到盛行西風。這條路線雖然沒有風，但順水，而且正好從馬尾藻海和百慕達之間的空隙穿過，避免了危險。至此，一條完美的從歐洲到西印度群島，再從西印度群島返航的路線被哥倫布探索出來了。

西印度群島的稱呼其實是個誤會，哥倫布不知道自己發現了新大陸，而是堅信自己到達印度。又因為他是從歐洲往西找到這裡，所以稱為西印度。按今天的習慣，可以把這一帶統稱為加勒比海地區。

加勒比海地區位於中美洲，按今天的行政來分的話，包括古巴、多米尼克、多明尼加共和國、海地、牙買加、巴貝多、安地卡及巴布達、阿魯巴、巴哈馬、英屬維京群島、開曼群島、格瑞那達、瓜地洛普、法屬馬丁尼克、蒙哲臘、荷屬安地列斯群島、聖克里斯多福及尼維斯、聖露西亞、波多黎各、聖文森和格瑞那丁、千里達及托巴哥、土克凱可群島和美屬維京群島。

如果按地理來分就比較簡單了，主要包括三個大群島：巴哈馬群島、大安地列斯群島和小安地列斯群島。其中巴哈馬群島包括安德羅斯島、聖薩爾瓦多島等島嶼，是哥倫布最早發現的群島。這裡與北美大陸的佛羅里達半島只隔著一條海峽，可惜哥倫布陰錯陽差往南去了，否則美洲大陸就會以哥倫布的名字命名了。

大安地列斯群島囊括了這一帶所有的大島，包括古巴島、牙買加島、海地島、波多黎各島等，是加勒比海地區的核心所在。小安地列斯群島在東部，正好把加勒比海和大西洋隔開。這一帶分布眾多小島，是後來殖民者搶奪的焦點。早期的殖民者如西班牙，把目光都放在大安地列斯群島這些人口眾多的大島上，對小安地列斯群島這些小島看不上眼。後來的英、法兩國到來時，只能搶占這些小島。大安地列斯群島、小安地列斯群島，再加上中美洲的猶加敦半島及中南美洲的大陸，共同圍成了加勒比海，而古巴島和猶加敦半島又把加勒比海和墨西哥灣隔開了。

哥倫布這一次沿北緯十五度航行，最先到達的是小安地列斯群島。在這裡先後發現了多明尼加島、瓜德羅普島、維京群島、波多黎各島等大小島嶼，並將當地人命名為「加勒比人」，意思是「英勇善戰

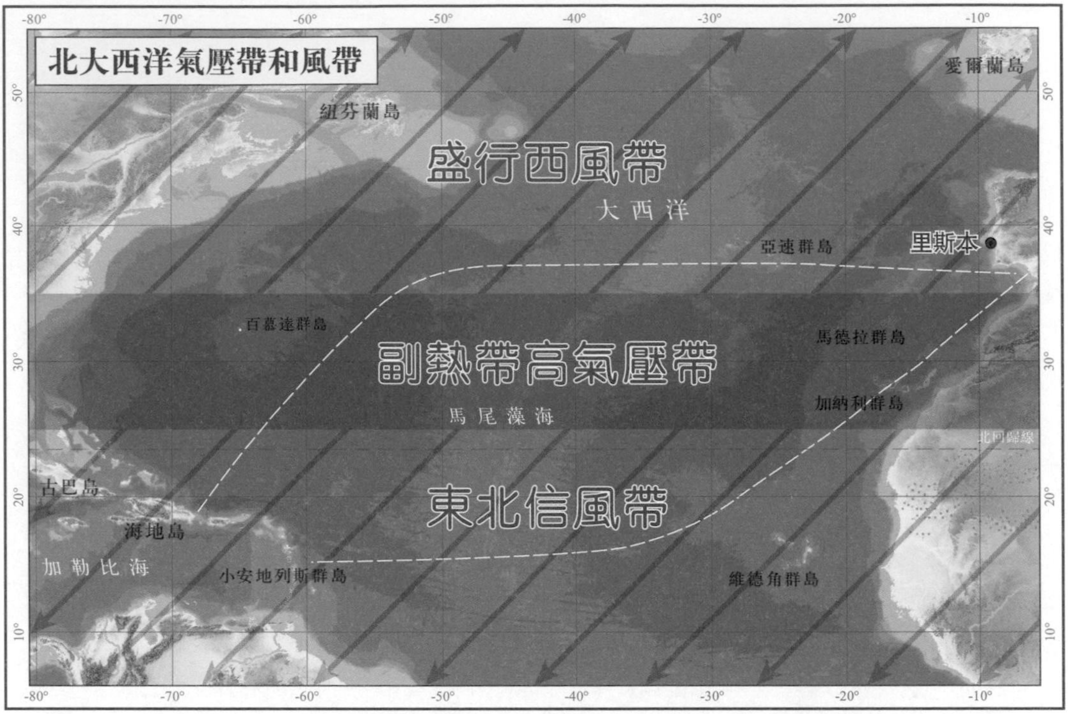
北大西洋氣壓帶和風帶
紐芬蘭島
愛爾蘭島
盛行西風帶
大西洋
亞速群島
里斯本
百慕達群島
馬德拉群島
副熱帶高氣壓帶
加納利群島
馬尾藻海
北回歸線
古巴島
東北信風帶
海地島
加勒比海
小安地列斯群島
維德角群島

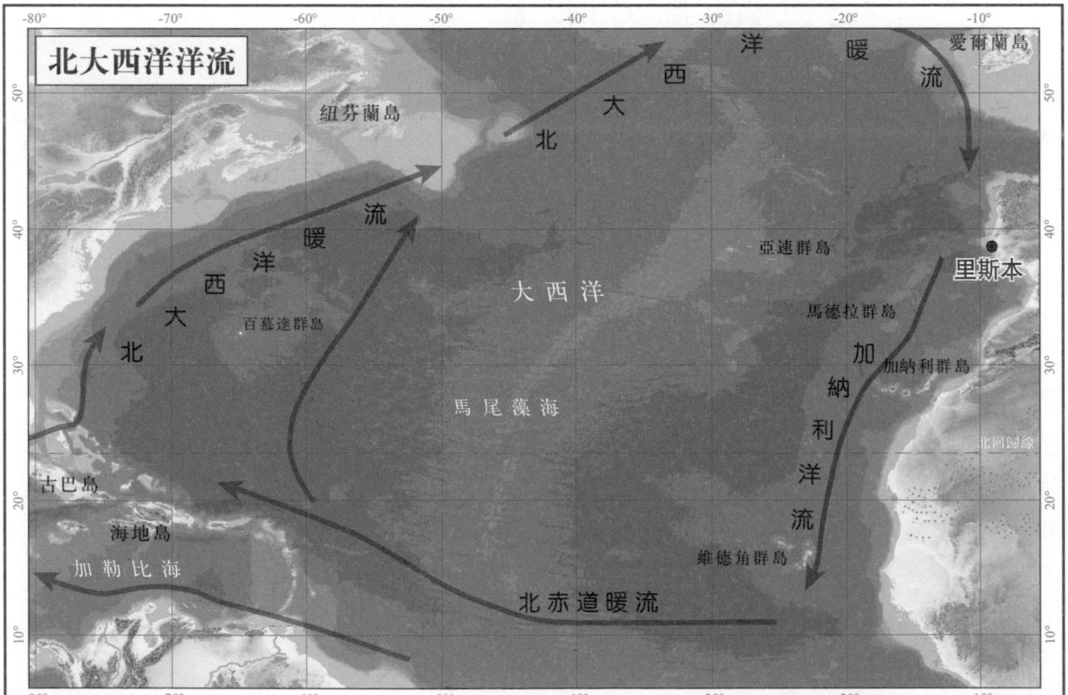
北大西洋洋流
北大西洋暖流
紐芬蘭島
愛爾蘭島
亞速群島
里斯本
大西洋
百慕達群島
馬德拉群島
加納利群島
加納利洋流
馬尾藻海
北回歸線
古巴島
海地島
加勒比海
維德角群島
北赤道暖流

的人」，加勒比海的名字也因此而來。

哥倫布在這些小島上只是了解了一下加勒比人的情況，主要目的地還是海地島，那裡還有三十九名留守的同胞。十一月二十七日，船隊抵達聖誕城所在的海灣，讓他們驚訝的是，聖誕城被夷為平地，三十九名留守人員悉數被滅。根據留下來的日記才知道，原來是這些留守的西班牙人到處性侵女人和搜刮黃金，引起當地的印第安人反擊。

於是，哥倫布決定在海地島的北岸中部另建一個城。為了紀念偉大的伊莎貝拉女王，他把這個城命名為伊莎貝拉城。這次哥倫布帶來的人雖然多，但大多是抱著淘金的目的而來，對於體力勞動十分抗拒，又因為食品短缺，再加上當地黃熱病、瘧疾流行，於是紛紛要求回國。哥倫布最終決定留下五艘船和五百人，其他人和船回國。一四九四年二月二日，這一千人在托雷斯的率領下分乘十二艘船由海地出發，返回西班牙。

但餘下的五百人並非安心待在島上，此前，西班牙人在海地島產金之地設置了一個聖托馬斯要塞。當這一千人走的時候，聖托馬斯要塞的指揮官也待不下去了，拉著幾個人搶了艘船偷偷回國。結果留下來的水手和士兵無人管束，到處搶劫、性侵，激起了印第安人的反抗。印第安人打死了幾十名西班牙人，包圍了聖托馬斯要塞。由此開始，西班牙人征服海地的戰爭爆發了。面對西班牙人的火槍、火炮，手無寸鐵的印第安人毫無還手之力，無數人在戰爭中死去，或淪為西班牙人的奴隸。西班牙人剛到時，海地島上有二十五萬以上的土著居民，到一五〇八年只剩下六萬人，一五四八年僅存五百人，到十六世紀中葉基本滅絕。今天看到的海地人都是黑人，是西班人後來從非洲販賣過去的黑人後裔。

哥倫布在海地發現當地的小孩喜歡玩一種球，這種球很有彈性。還發現，印第安人把一種白色、濃稠液體塗在布上後，就有了防水效果。後來得知，這兩種稀罕事物來源於同一個東西，就是橡膠。橡膠對後世工業的重要性不言而喻，在殖民時代，它是很多種植區廣泛種植的經濟作物。客觀來說，哥倫布為美洲的印第安人帶來災難，另一個角度，他從美洲帶回的很多東西也徹底改變了舊大陸人的生活。和葡萄牙不同的是，西班牙喜歡把一個人的才能發揮到極致，而葡萄牙卻總是臨陣換將，一旦成名，從此以後等於閒置。所以葡萄牙往非洲探險時不斷換領隊。而西班牙僅哥倫布一人的成就就遠超過他們的總和。當然，還有另一個原因，哥倫布是外籍人士，相當於客卿，在西班牙沒有根基，不存在功高蓋主的情況。而葡萄牙的那些領隊本身就是傳統貴族，王室對他們有戒心也很正常。

四月二十四日，哥倫布率三艘船離開伊莎貝拉城去考察古巴。他們考察了整個古巴島的西南海岸，先後發現了牙買加島和派恩斯島（今古巴青年島）。五月分時，哥倫布的弟弟巴爾托洛梅奧（Bartholomew Columbus）率三艘補給船抵達新大陸，順便留在海地。九月底，哥倫布感到身體不適，回到伊莎貝拉城養病。

十一月，托雷斯送來四艘船的補給。回去時，正好趕上西班牙人剛抓了一千五百名印第安人，托雷斯只挑了五百人運回國內當奴隸拍賣。剩下的人，一部分給西班牙人當奴隸，其餘的大部分被釋放。

印第安人不是理想的奴隸，他們的身體遠不如非洲黑人強壯，艱苦的勞動加上惡劣的環境讓很多印第安人不堪折磨而死。另外，印第安人還處於石器時期，他們的概念裡沒有奴隸這個詞，所以會反抗。非洲不同，非洲的奴隸制已經存在幾個世紀，在黑人眼裡，只要被定義為奴隸，被迫勞動是天經地義的事，沒有反抗的必要。

第二次西航，西班牙人沒有像預期的那樣獲得大量黃金，就連抓獲的奴隸也不堪大用，西班牙女王對哥倫布這次的遠航並不滿意，於是允許西班牙人可以自由到西印度移民、採金、考察，只要把收入的三分之二上繳國庫就行。等於是把以前許諾給哥倫布的壟斷權給廢了。而且很快女王詔令哥倫布回國，因為錢花太多了，入不敷出，這場投資看來又是打了水漂。

一四九六年三月，哥倫布動身回國。行前，讓巴爾托洛梅奧代理他統治西印度。巴爾托洛梅奧當年在海地島南岸建了聖多明哥城，很快成為西班牙在海地殖民統治的中心，現在是多明尼加的首都。

一四九六年六月中旬，哥倫布回到西班牙的加的斯港。

早在一年多前（一四九四年冬），法蘭西國出兵義大利半島，與西班牙爭奪拿坡里，於是持續六十五年的義大利戰爭爆發。西班牙軍隊中有不少人曾跟隨哥倫布去過美洲，其中有一些在那裡染上了一種怪病，他們把這個怪病傳給了拿坡里風月場（妓院）中的女子。第二年，法蘭西軍隊攻陷拿坡里，這些女子又把這個怪病傳給法軍。到了秋天，法蘭西軍隊多數士兵染病，無法醫治，只好撤退。此後三年，這個怪病迅速傳遍歐洲，並向亞洲和非洲蔓延。後來人們知道這個怪病就是梅毒。之所以說是怪病，因為所有的感染者幾乎全是透過同一種方式傳染，就是性接觸。

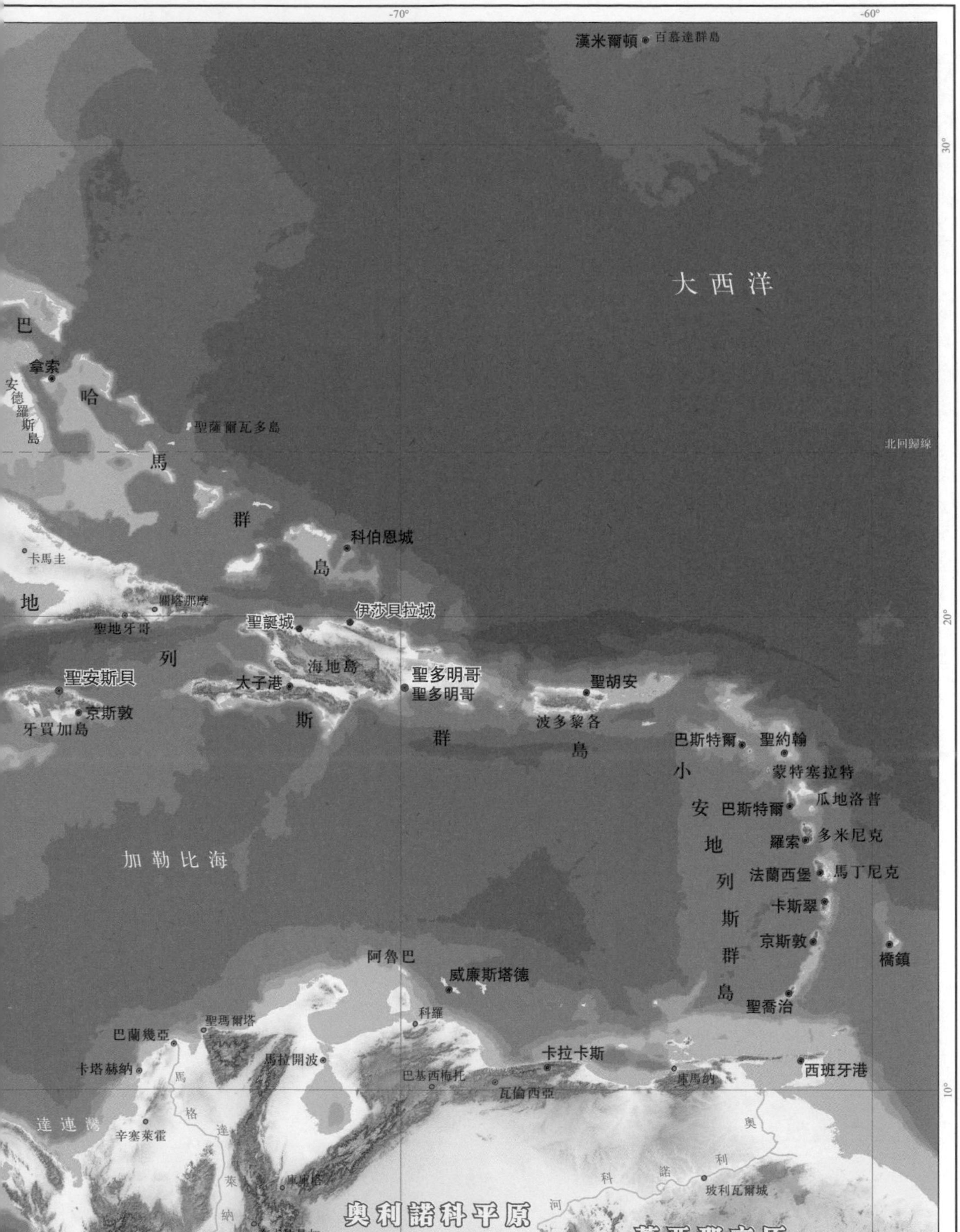
-70°
-60°
漢米爾頓
百慕達群島
30°
大西洋
巴
拿索
哈
安
德
羅
斯
島
聖薩爾瓦多島
北回歸線
馬
群
科伯恩城
卡馬圭
島
地
關塔那摩
聖地牙哥
聖誕城
伊莎貝拉城
20°
列
海地島
聖安斯貝
太子港
聖多明哥
聖多明哥
聖胡安
京斯敦
牙買加島
斯
波多黎各
群
島
巴斯特爾
聖約翰
小
蒙特塞拉特
安
巴斯特爾
瓜地洛普
地
羅索
多米尼克
加勒比海
列
法蘭西堡
馬丁尼克
卡斯翠
斯
京斯敦
橋鎮
阿魯巴
群
威廉斯塔德
島
聖喬治
聖瑪爾塔
科羅
巴蘭幾亞
馬拉開波
卡拉卡斯
卡塔赫納
巴基西梅托
庫馬納
西班牙港
瓦倫西亞
10°
達連灣
辛塞萊霍
奧
利
諾
科
河
玻利瓦爾城
奧利諾科平原
蓋亞那高原
-70°
-60°

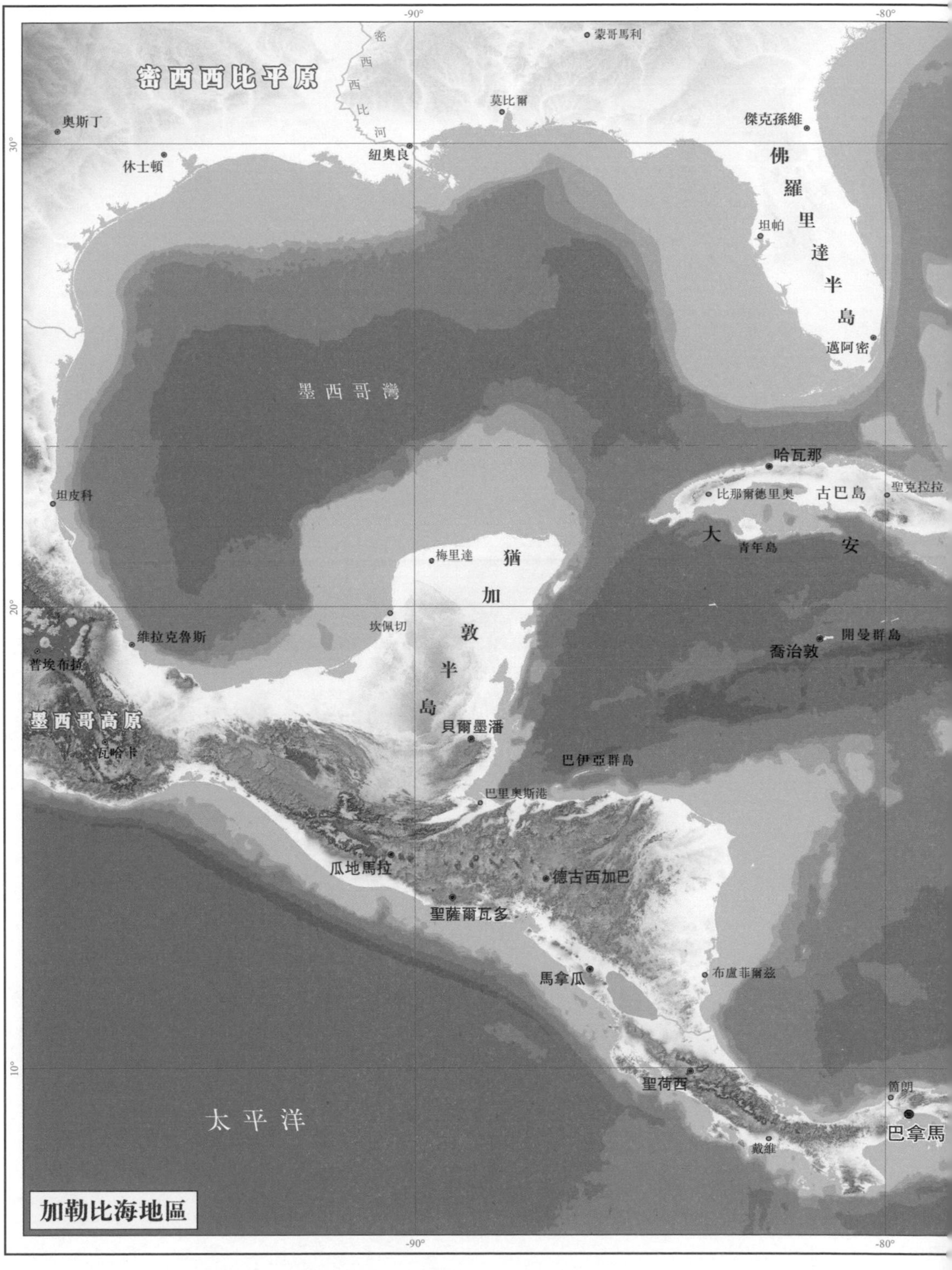

密西西比平原
密西西比河
蒙哥馬利
奧斯丁
莫比爾
傑克孫維
休士頓
紐奧良
佛羅里達半島
坦帕
邁阿密
墨西哥灣
哈瓦那
坦皮科
比那爾德里奧
古巴島
聖克拉拉
大安
青年島
梅里達
猶加敦半島
坎佩切
維拉克魯斯
開曼群島
喬治敦
普埃布拉
墨西哥高原
瓦哈卡
貝爾墨潘
巴伊亞群島
巴里奧斯港
瓜地馬拉
德古西加巴
聖薩爾瓦多
馬拿瓜
布盧菲爾茲
聖荷西
簡朗
巴拿馬
戴維
太平洋
加勒比海地區
-90°
-80°
30°
20°
10°

第十二章

印度洋上的海軍上將——達・伽馬

哥倫布探索和經營西印度群島時，我們再把目光放回到葡萄牙。

葡萄牙國王約翰二世晚年身體虛弱，患有水腫病。患病期間，葡萄牙人的航海事業一度停滯。從一四八八年迪亞士從好望角返回里斯本開始，有近十年時間，葡萄牙人在遠洋探索上毫無建樹。

一四九五年底，當哥倫布準備從西印度群島回國時，約翰二世病逝，新國王曼紐一世（Manuel I of Portugal）繼位。曼紐一世繼位後，立即把開闢新航路的事放上日程。

哥倫布帶給葡萄牙人的刺激很大，本來葡萄牙人是第一個衝出歐洲往遠洋探險的，而且他們也知道繞過好望角後，船隊已經在印度洋上，離印度就不遠了，誰知讓西班牙人搶先，在歐洲大出風頭。這一次，葡萄牙人的目標就是盡快往東開闢一條到達印度的新航線。按葡萄牙一貫的傳統，這次換瓦斯科·達·伽馬（Vasco da Gama）掛帥。

一四九七年七月八日，葡萄牙著名航海家達·伽馬奉曼紐一世之命，從里斯本啟航，前往東印度。他的船隊共有四艘船，旗艦的載重僅一百二十噸，和哥倫布首航西印度的旗艦相當。

船隊先在迪亞士的陪同下到達聖喬治，然後迪亞士留在當地，因為他要擔任聖喬治的總督，是來赴任的。在迪亞士的建議下，也是受哥倫布遠航的啟發，葡萄牙的船隊這次不再貼著海岸線航行，而是有目的地在大西洋上走直線，這樣能節省很多時間。

按迪亞士的建議，達·伽馬從里斯本出發，直接到達非洲最西端的維德角，從維德角到達聖喬治後，直接往好望角出發。十一月上旬，船隊到達好望角以北的聖赫勒拿灣，靠岸登陸，結果與那裡的科伊桑人發生衝突，達·伽馬中箭受傷。然後，船隊繞過好望角進入印度洋，在好望角東部的莫塞爾灣停泊，與當地科伊桑人進行貨物交換，還好這次沒發生大的意外。十一月二十五日，達·伽馬在莫塞爾灣豎立紀念石碑，同時象徵著對這一帶的占領。但這時發生了小意外，補給船在航行過程中受損。由於補給船上的物資已經消耗殆盡，再加上有船員患病，按照一般做法，為了不讓潛在敵人利用，葡萄牙人把船員轉移出來後，就把補給船給燒了。

十五世紀的遠洋航行中，水手們最怕的就是兩樣東西，一是補給斷了，二是壞血病。補給斷了不用說，人是鐵、飯是鋼，沒有食物和淡水就會死人，這個問題在船隊出發前如果計畫得好還可以避免，但壞血病卻讓每一個船員聞之色變。我們知道壞血病是缺乏維生素C造成的，在大航海時代，船員們的日常飲食就是麵包、肉乾、醃豆、醃魚之類的食物，沒有新鮮蔬菜，無法攝取維生素C，時間一長，很容易得壞血病。在達·伽馬時期，人們還不知道壞血病的原理，得病幾乎就是死路一條，恐怖之處可想而知。後來的航海實踐中，有些得病的水手上岸後，吃了些橘子或檸檬後病情有所好轉，於是航海家們以為水果對治療壞血病有效，號召水手們多吃水果。但水果不好保存，在船上幾天就壞了。

說到壞血病，很多人都會疑惑，為什麼鄭和下西洋沒有船員得這種病？有一種說法是鄭和的船隻很大，可以在上面種菜，所以沒有發生這種情況。這種說法不可靠，鄭和的船再大，相對的船員就很多，船上能騰出來種菜的空間極小，種出的菜還不夠全體船員吃一頓。況且蔬菜的生長需要時間，不可能源源不斷地供應船員們食用。根本原因是，鄭和所經之地全是文明發達的地方，有成熟的港口，補給蔬菜很容易。而歐洲探險者們前往的地方全是蠻荒之地，土著大多還處在茹毛飲血的階段，根本不知道蔬菜為何物，就算有錢也買不到。

在補給斷絕、船員生病後，船員們的情緒很不穩定。不久之後，船上發生以囚犯為首的叛亂。叛軍企圖奪船回國，但被達．伽馬迅速鎮壓下去。接著，船隊繼續往東，越過了大魚河口，大魚河口是上次迪亞士到達的最遠點。從這裡開始，達．伽馬的航程就沒有地圖指引了。當然，這不是說達．伽馬對前方的事物一無所知。葡萄牙王國在派遣船隊往非洲大陸南部探險的同時，為了獲取目的地的相關資訊，也為了給船隊尋找合適的補給站，同時派遣了情報人員從陸地偷偷前往印度和東非。這些人獲取相關資訊後，把情報傳回國內，國王再派人把情報傳給前方的船隊。因此，達．伽馬的手上雖然沒地圖指引，但並非兩眼一抹黑。

十二月二十五日，達．伽馬的船隊到達非洲的東南角，今納塔爾地區海岸一帶，然後沿海岸繼續向前探索。

一四九八年一月，他們到達翁沃拉河，在這裡與當地土著用以物易物的方式進行交換。這一帶產銅，於是把這條河命名為銅河（翁沃拉河）。隨後，一月二十五日，他們發現了一條很大的奎利曼河（今尚比西河），於是在這裡休整，和土著易物交換。這次交換中，他們從這些班圖人手中得到一些亞洲產的東西，於是達．伽馬認為他們離印度不遠了。

在奎利曼河口立完石碑後，達．伽馬率領船隊繼續沿非洲大陸北上。三月二日，他們來到南緯十五度的莫三比克港。

從地圖上看，我們會發現達·伽馬漏掉了一個重要的港口城市——索法拉。的確，這不是達·伽馬的失誤，而是葡萄牙情報人員的失誤。葡萄牙的情報人員事前的確到達過索法拉，但他的情報並沒有索法拉的精確座標，而索法拉恰好位於一個海灣處，導致達·伽馬一不留神就錯過了，直接到了尚比亞河口，然後又去了莫三比克。直到一五〇一年，葡萄牙第二支遠征隊前往印度時，才發現索法拉的存在。到了莫三比克，達·伽馬驚訝地發現，這裡出現了穆斯林！其實不只莫三比克，整個東非沿岸都有穆斯林的身影。

自從七世紀阿拉伯興起後，伊斯蘭勢力迅速向世界各地蔓延。伊斯蘭勢力擴張主要靠貿易，相較於戰爭，貿易的擴展範圍更大，影響更深。在陸地上，穆斯林的貿易主要靠駱駝，在海上則是阿拉伯三角帆船。

如果我們把帆船分類，主要有四種：歐洲帆船、阿拉伯帆船、印度帆船和中國帆船。其中印度和阿拉伯人共用著印度洋，受阿拉伯影響很大，幾乎難以單獨歸類，所以實際上只有三種。

歐洲早期的帆船都是橫帆，所謂橫帆就是在桅杆上固定一根或幾根橫木，在這些橫木上掛長方形或梯形的船帆，所以橫帆又稱四角帆。

由於掛橫帆的橫木是固定的，這種帆只能順風時使用；逆風時需要把帆降下來，用人力划，所以這種船又稱槳帆船。槳帆船是地中海中普遍使用的帆船，地中海夏季無風，冬季只有西風，沒有人力幾乎

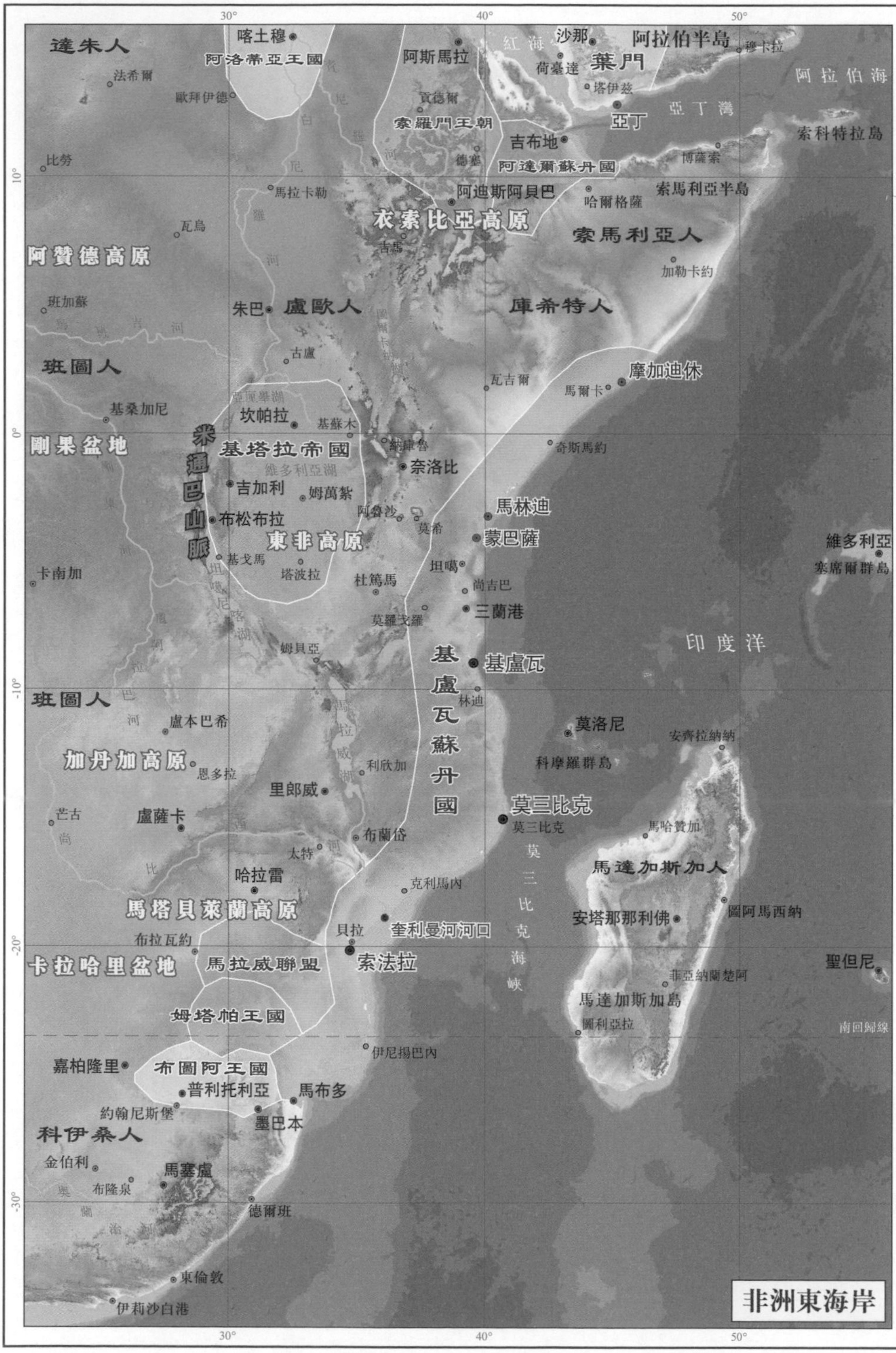
達朱人
喀土穆
阿洛蒂亞王國
阿斯馬拉
紅海
沙那
阿拉伯半島
穆卡拉
葉門
荷臺達
阿拉伯海
法希爾
歐拜伊德
貢德爾
塔伊茲
亞丁灣
亞丁
索羅門王朝
吉布地
索科特拉島
比勞
德塞
阿達爾蘇丹國
博薩索
馬拉卡勒
阿迪斯阿貝巴
哈爾格薩
索馬利亞半島
衣索比亞高原
索馬利亞人
瓦烏
吉馬
阿贊德高原
加勒卡約
班加蘇
朱巴
盧歐人
庫希特人
古盧
班圖人
摩加迪休
瓦吉爾
馬爾卡
基桑加尼
坎帕拉
基蘇木
米通巴山脈
剛果盆地
基塔拉帝國
納庫魯
奇斯馬約
維多利亞湖
奈洛比
吉加利
姆萬紮
布松布拉
阿魯沙
馬林迪
莫希
東非高原
蒙巴薩
維多利亞
塞席爾群島
基戈馬
坦噶
卡南加
塔波拉
杜篤馬
尚吉巴
三蘭港
莫羅戈羅
印度洋
姆貝亞
基盧瓦
基盧瓦蘇丹國
林迪
班圖人
盧本巴希
莫洛尼
安齊拉納納
加丹加高原
恩多拉
科摩羅群島
利欣加
里郎威
莫三比克
芒古
盧薩卡
莫三比克
馬哈贊加
布蘭岱
太特
莫三比克海峽
馬達加斯加人
哈拉雷
克利馬內
安塔那那利佛
圖阿馬西納
馬塔貝萊蘭高原
奎利曼河河口
貝拉
布拉瓦約
索法拉
聖但尼
卡拉哈里盆地
馬拉威聯盟
菲亞納蘭楚阿
馬達加斯加島
姆塔帕王國
圖利亞拉
南回歸線
伊尼揚巴內
嘉柏隆里
布圖阿王國
普利托利亞
馬布多
約翰尼斯堡
墨巴本
科伊桑人
金伯利
馬塞盧
布隆泉
德爾班
東倫敦
伊莉沙白港
30°
40°
50°
10°
0°
-10°
-20°
-30°
非洲東海岸

寸步難行。

而阿拉伯人的三角帆卻不一樣，角度可以調整，可以逆風航行（實際是走「之」字線）。這種船速度快，轉向靈活，阿拉伯人憑此縱橫印度洋。後來歐洲人就把阿拉伯的三角帆引入自己的船上，與橫帆結合，這樣既能順風快跑，又能頂風逆行，徹底擺脫了人力的依賴，遠洋探險才成為可能。當然，其中少不了中國人發明的舵。沒有舵，以風力為主的帆船很難控制方向。

中國的帆是硬帆，和阿拉伯及歐洲不同。硬帆的操控性很好，逆風航行不是問題，但硬帆本身的特質，不可能做得像三角帆那麼大，所以速度受到限制。相較於歐洲和阿拉伯的船隻，中國帆船很早就使用了水密隔艙，優點是不容易沉船，缺點是船艙較小，裝載不了那麼多貨物。

十世紀時，阿拉伯人憑藉三角帆船，已經把足跡深入到東非沿岸，並在坦尚尼亞河口建立了穆斯林貿易城，就是基盧瓦基斯瓦尼。基盧瓦基斯瓦尼建有華麗的宮殿和雄偉的清真寺，以及堅固的城牆，又吸引更多穆斯林前來貿易。十四世紀，基盧瓦基斯瓦尼逐步控制了沿海的索法拉、莫三比克、蒙巴薩、馬林迪、摩加迪休等眾多的港口貿易城市，成為一個穆斯林城邦聯盟。

達·伽馬一行到達莫三比克後，雇請了兩名阿拉伯籍的引水人。引水人就是水上的嚮導，現在又叫引航員。但很快，他們基督徒的身分暴露了，引來當地穆斯林的敵視。

莫三比克顯然不是久留之地，三月二十九日，達·伽馬一行上船後，朝莫三比克放了幾炮，然後揚帆北上。四月七日，到達南緯四度的蒙巴薩。這裡也是鄭和七下西洋到過最遠的地方，當時中國人把這裡翻譯為「慢八撒」。

達．伽馬一行人在蒙巴薩依然遭到穆斯林的敵視和攻擊，兩名引水人趁機逃走。蒙巴薩附近有一座非常著名的山——吉力馬札羅山，山體不大，卻是非洲海拔最高的山，因為它座落在東非高原上的緣故。吉力馬札羅山既是火山，也是雪山，火山的山體都不大，這很好理解。但它靠近赤道，山頂卻終年積雪，讓人不得不稱奇，尤其對非洲人來說，雪是極其罕見的。產生這種現象的原因是海拔，吉力馬札羅山的中央火山海拔五千八百九十五公尺，按海拔每升高一百公尺，氣溫下降〇．六度計算，山頂氣溫相對較於海平面會低三十五度，基本處於冰點以下，有雪很正常。吉力馬札羅山有名，真正的原因倒不是奇特的自然現象，而是海明威（Ernest Hemingway）的一部小說名字就叫《吉力馬札羅山的雪》。

四月十三日，船隊離開蒙巴薩，十四日進入馬林迪（中國古稱麻林地）。在這裡遇到了一些印度人，從印度人的口中，他們才知道印度的確切方位。更幸運的是，當地的蘇丹和穆斯林對葡萄牙人比較友好。在蘇丹的幫助下，達．伽馬請到了一位阿曼籍的引水人。

達．伽馬在馬林迪待了整整十天。按照葡萄牙人一貫的航海方式，都是沿著海岸線走，這次出航雖然比以前有所突破，那也是在迪亞士的指引下，而且是在已知的海域，在未知的海域離岸遠航，只有哥倫布做過，葡萄牙人還沒有真正嘗試過。另一方面，達．伽馬也感覺到了，非洲的東海岸都是穆斯林，再往前就是阿拉伯海，是阿拉伯人的傳統勢力範圍，那裡幾乎人人都是穆斯林，更是危險重重。達．伽馬有一個大膽的想法，就是橫跨印度洋，直達印度。他也知道，哥倫布橫跨大西洋靠的是信風，但印度洋有沒有強勁的信風呢？

答案是沒有，但有季風。

受青藏高原的影響，印度主要受季風影響。《用地理看歷史：荊州，為何兵家必爭？》對季風的形成有詳細描述，有興趣的讀者可以翻閱，這裡只補充兩點。

第一，為什麼青藏高原能阻擋信風？前面已經說過，大氣環流的活動範圍在海拔四千公尺以內，而青藏高原的平均海拔就有四千公尺，可以扎扎實實地把大氣環流阻擋住。另外一點，中國的季風活動比印度更強，不然同樣是北緯三十度的印度河附近不會形成沙漠。這是因為在北半球，大氣環流向右偏轉，從赤道來的暖溼氣流在北上後不久就變成從西往東運動，這股氣流對中國的影響微乎其微，而對印度卻有一定的影響，在副熱帶高壓附近形成沙漠。

第二，信風和季風是此消彼長的關係。季風影響的是局部，大氣環流影響的是全球，在季風強勁的地區，大氣環流並非不存在，只是影響極弱。中國的長江沿線，副熱帶高壓也常顯現，對那裡的氣候同樣有影響。

印度位於青藏高原的西南部，印度及印度洋附近的季風和中國有所不同。夏季，這裡颳西南風；冬季，這裡颳東北風。遠在歐洲人到達前，無論是印度人還是阿拉伯人，都會利用季風行船，航行於印度洋東西兩岸。中國古代的帆船也會利用冬季的西北季風到東南亞，再利用夏季的東南季風到達印度；來年利用冬季的東北季風回到東南亞，再利用夏季的東南季風回國，如此循環往復。鄭和七次下西洋，正

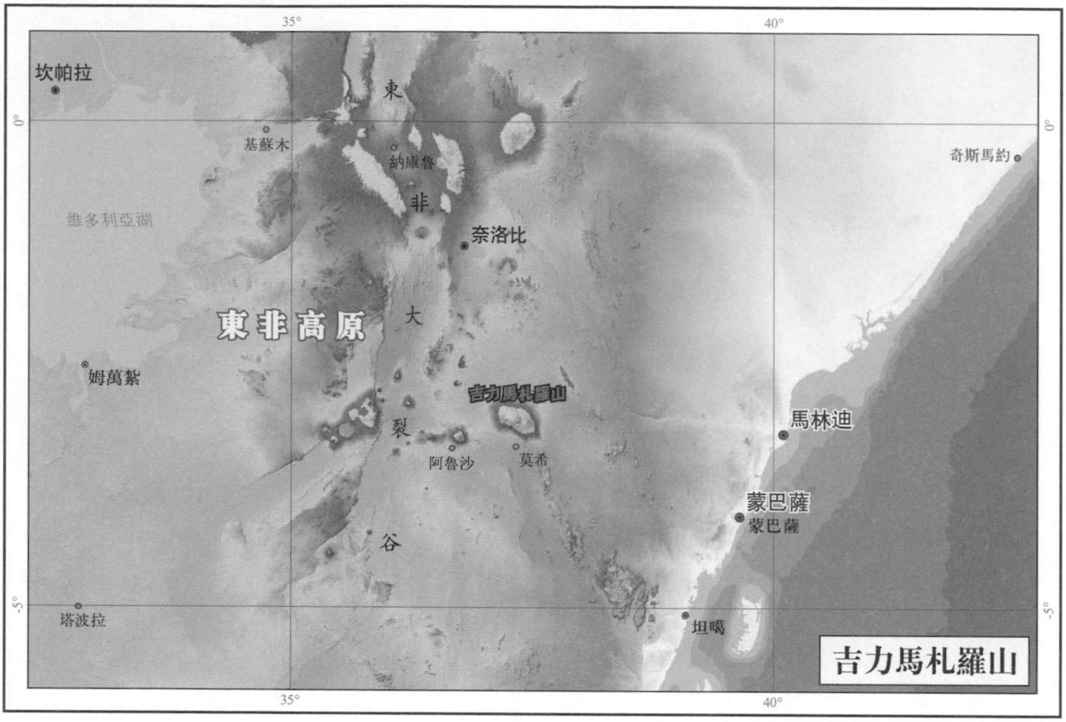
35°
40°
0°
-5°
坎帕拉
東
基蘇木
納庫魯
非
維多利亞湖
奈洛比
東非高原
大
姆萬紮
吉力馬札羅山
裂
阿魯沙
莫希
谷
奇斯馬約
馬林迪
蒙巴薩
蒙巴薩
塔波拉
坦噶
吉力馬札羅山

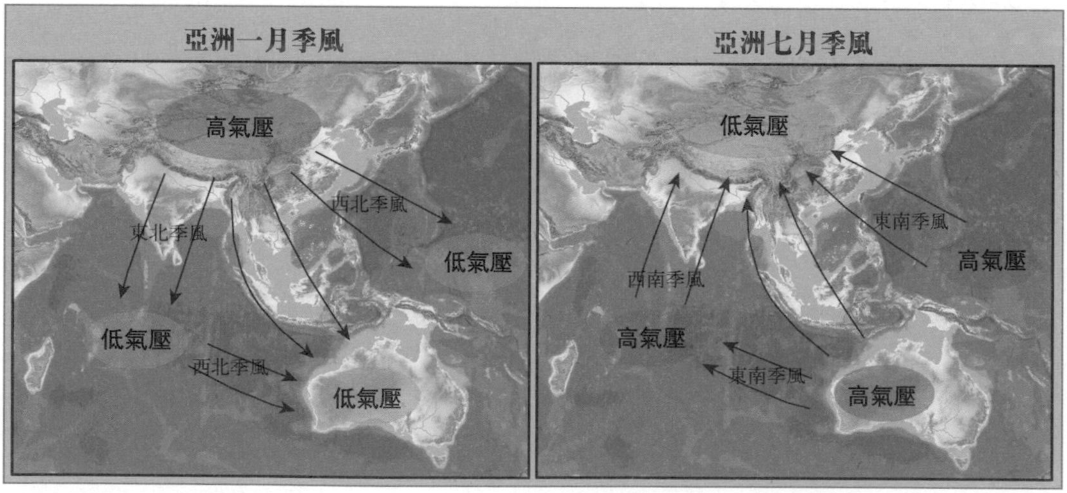
亞洲一月季風
高氣壓
西北季風
東北季風
低氣壓
低氣壓
西北季風
低氣壓
亞洲七月季風
低氣壓
東南季風
西南季風
高氣壓
高氣壓
東南季風
高氣壓

是利用了太平洋和印度洋上的季風。

由當地的印度人和阿拉伯人口中得知，從馬林迪可以利用西南季風到達印度。達·伽馬在馬林迪待了十天，就是要把這些情況了解清楚，而且跨大洋航行，幾十天不靠岸，需要準備足夠多的補給。當一切準備妥當時，達·伽馬準備啟航了。

四月二十四日，達·伽馬的船隊從南緯四度的馬林迪拔錨啟航。在那位阿曼引水人的領航下，順著西南季風，向東北方向，開始了橫渡印度洋的航行，目標是印度西岸的科澤科德（中

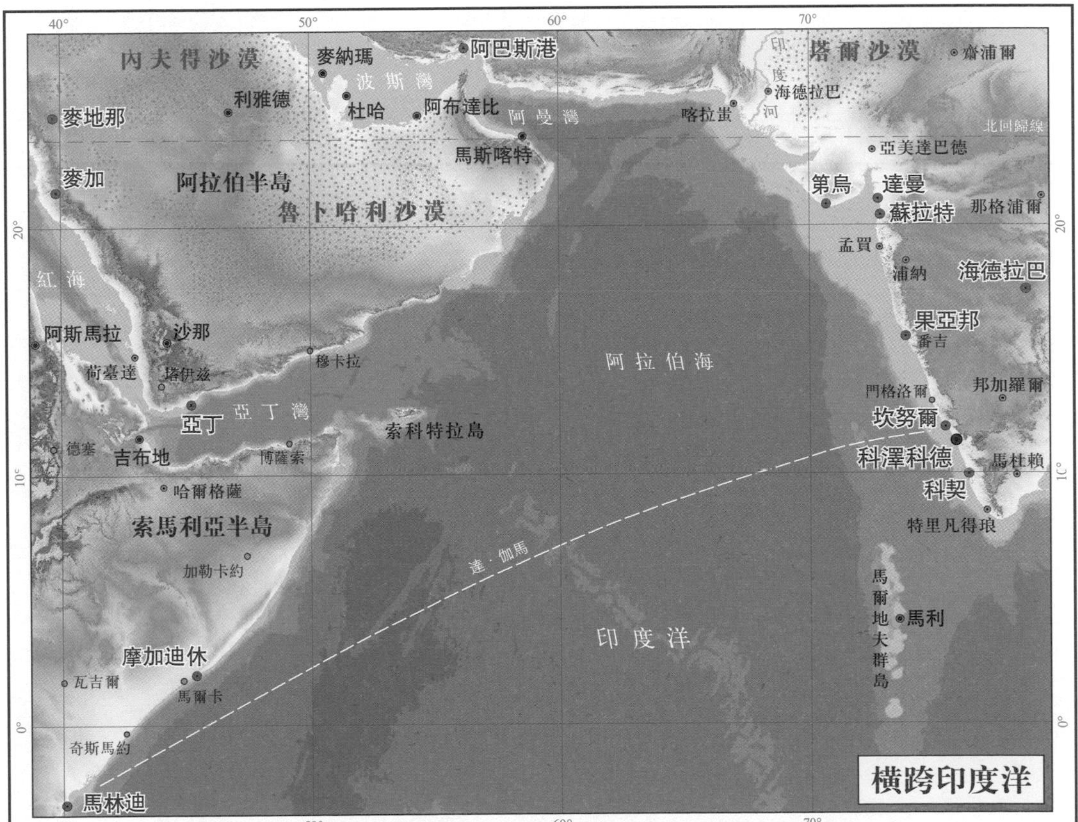

國古稱古里）。

這段航程歷時二十四天，行程三千多公里，最終於五月十八日到達印度次大陸。只不過，以當時的測量技術，航向略有偏移，達·伽馬一開始是在科澤科德以北約八十公里的馬拉巴爾海岸（即坎努爾）靠岸登陸。十天後，才到達目地的科澤科德。

第十三章

四大古文明之一——印度

印度是個文明古國，歷史可追溯到西元前二五〇〇年。之所以能成為文明古國，同樣離不開印度獨特的地形。

從地形上講，印度是個完全封閉的區域，除了西北部的開伯爾山口與中亞相通外。其中北部有喜馬拉雅山脈與青藏高原相隔，東部有若開山脈與中南半島分離，西部有蘇萊曼山脈與伊朗高原相望，西北部還有地形更為複雜的興都庫什山脈，只是在興都庫什山脈和蘇萊曼山脈之間，有一個開伯爾山口，最窄處只有六百公尺。這種地形可以完全避免外部的打擾，發展出自己獨特的文明。

印度次大陸的內部可以分成三部分：西北部的印度河平原，北部的恆河平原，以及南部的德干高原。印度河平原由印度河和從喜馬拉雅山上下來的眾多小河流沖積而成，本來應該是一大片良田，但受副熱帶高壓的影響，在平原的中南部形成一個大沙漠——塔爾沙漠。以現代的眼光看，沙漠浪費了大片良田，但在人類早期，還不具備利用鐵器砍伐森林時，沙漠河床周圍的淤泥更適合耕種。因此，古印度文明就產生在這裡。

印度河發源於青藏高原的獅泉河，恆河同樣發源於青藏高原。我們常說青藏高原是中國的水塔，長江和黃河都發源於青藏高原，其實對印度來說也一樣。恆河沖積而成的平原就叫恆河平原，如果除掉塔爾沙漠，恆河平原的面積遠大於印度河平原。恆河平原受副熱帶高壓的影響小，有大片可供耕種的土地，只是在早期，這裡密布著大片的原始森林，開發難度大。

除了兩大河流外，印度還有一條較大的河流，主要滋養著印度的東北部。這條河在中國叫雅魯藏布江，到印度時，他們取了另一個名字，叫布拉馬普特拉河。這條河屬於恆河的支流，與恆河匯合後，最終流入孟加拉灣。

德干高原其實稱不上高原，平均海拔只有五百～六百公尺，許多地方和四川盆地的海拔相當。只不過在德干高原東、西兩側，有兩座海拔較高的山脈——東高止山脈和西高止山脈。西高止山脈的海拔較高，平均九百公尺；

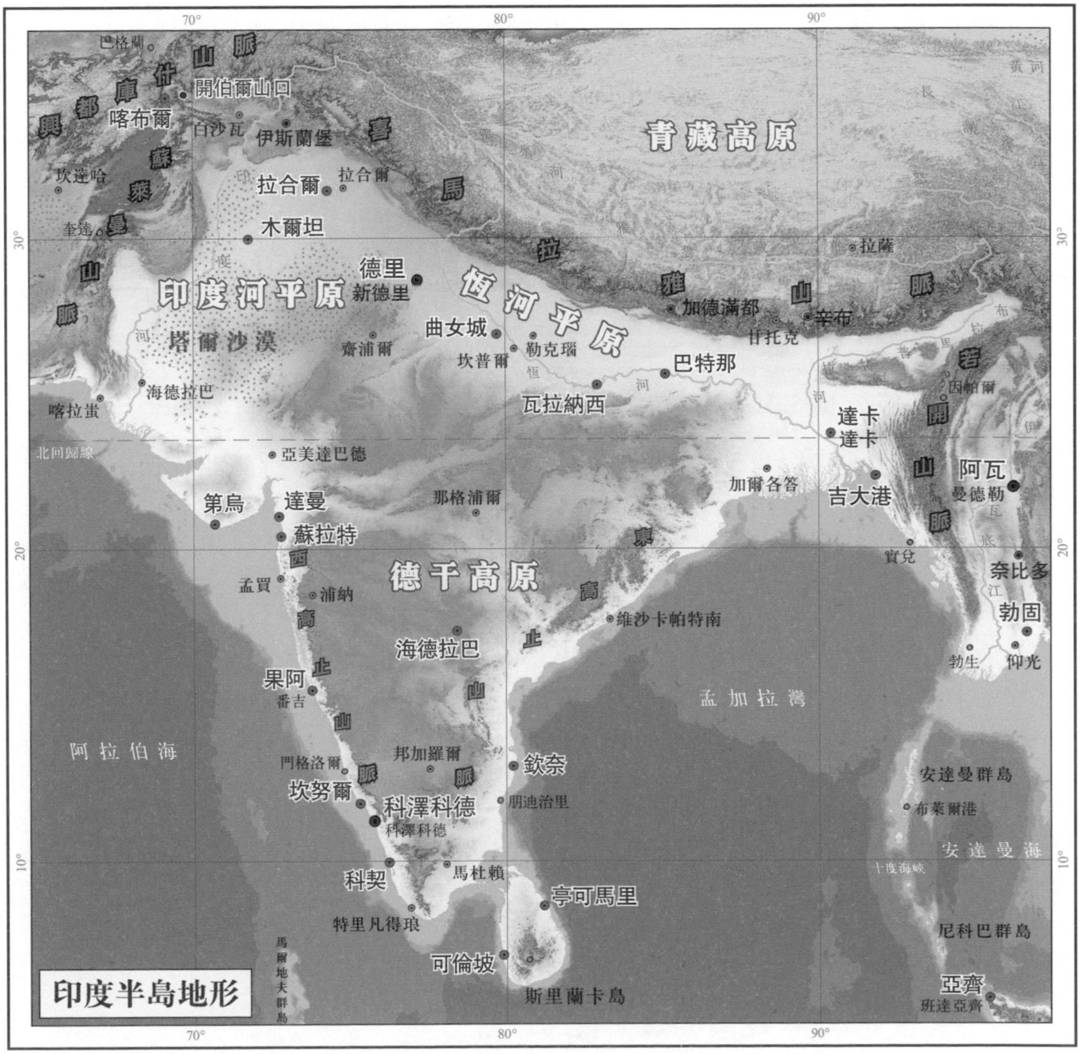

印度半島地形

東高止山的平均海拔為六百～七百公尺，比德干高原僅高出一百公尺左右。正是這兩座較高的山脈，把德干高原和海拔較低的沿海地帶隔開來，使印度半島的沿海地區和德干高原呈現不同文化。

廣義上的印度包括今天的印度、巴基斯坦、孟加拉，也包括斯里蘭卡島。斯里蘭卡島與印度次大陸處於同一大陸架上，只是因地殼的運動而分離，明代時把斯里蘭卡譯作錫蘭。

北部有山，與強大的波斯、中國等古國相隔；南部完全被大海環繞，在人類早期，大海是一道不可逾越的障礙。在這樣一個封閉的地理區域，不創造點獨特的文明都說不過去。

最早生活在印度半島的是達羅毗荼人，他們在印度河流域創造了最早的印度文明，這個時間大約在西元前二五〇〇年左右。達羅毗荼人的特徵是：長臉型，中等身材，捲髮，唇薄，皮膚為淺褐色。因為印度地處熱帶，猛然一看會以為他們是黑人，其實他們的膚色比黑人淺，身材也沒有黑人那麼高大，有些歷史書裡稱他們為矮黑人。矮黑人不僅分布在印度半島，有一部分還越過了喜馬拉雅山脈，進入青藏高原，成為那裡最早的土著。

西元前一五〇〇年左右，中亞的雅利安人從開伯爾山口進入，征服了達羅毗荼人。雅利安人是白種人，但不比達羅毗荼人先進，只不過他們是游牧民族，仗著身材高大，達羅毗荼人不是對手。雅利安人在這裡建國後，自然要放棄原來的游牧生活方式，但沒有更好的統治手段，於是創立了種姓制度。

種姓制度將人分為四個等級，即婆羅門、剎帝利、吠舍、首陀羅。

第一等是婆羅門，主要是僧侶，負有宗教解釋權，同時壟斷了文化。印度是個對宗教最虔誠的地方，幾乎全民信教，凡是教民求神問教都要經過婆羅門。

第二等是剎帝利，主要包括行政官員和武士，擁有軍事權和行政權，主要工作就是行政管理和打仗，負責保護婆羅門的安全和地位。

第三等是吠舍，普通的雅利安人，沒有政治上的特權，但有納稅的義務，主要從事商業。

第四等首陀羅，就是被征服的達羅毗荼人，地位最低，從事農業和各種體力及手工業勞動，好一點的到婆羅門和剎帝利家裡做傭人。

這四個種姓，前兩種是貴族，第三種是普通人，第四種是底層普通人。除了四大種姓外，還有一種人稱為「不可接觸者」，又稱「賤民」或「達利特」。賤民在印度不算人，所以沒列入四大種姓之列。他們大多從事最低賤的職業，例如洗衣工和清潔工、建築工等。賤民在印度不能拜神信教，見了其他種姓的人要遠遠地繞開。

按照婆羅門教的規定，人的種姓從一出生就定下來了，而且世代承襲，不能更改。這是一種階層固化的手段，也是為了保障做為征服者雅利安人的特權。

種姓制度徹底改變了印度文化，也改變了印度歷史。按種姓制度的規定，只有剎帝利可以打仗，但剎帝利畢竟占少數，當外敵入侵時，印度人不會有「天下興亡、匹夫有責」的責任感，在占大多數的達羅毗荼人眼中，打仗禦敵是剎帝利的事，他們只要種好自己的地，或者伺候好自己的主人就行了。至於賤民更不用說了，亡國、滅種都不關他們的事。所以在此後的幾千年中，波斯人、馬其頓人、希臘人、塞迦人、大月氏人、白匈奴人、突厥人、蒙古人都先後侵占過印度，原因無他，少數剎帝利根本不是這些人的對手。

另一方面，受種姓制度的洗禮，印度各個階層的人都安於現狀，在這種制度下，想跨越階層簡直比登天還難。

當然，印度人一開始不是都安於現狀的。當雅利安人在北部建立一些小邦國時，一些不堪忍受統治的達羅毗茶人開始南遷，進入德干高原。此時印度地區分布著大大小小的邦國，北部是以雅利安人為首的白人統治區，南部是以達羅毗茶人為主的土著民族，就是印度歷史上的列國時期。列國時期的印度人思想十分活躍，佛教因此應運而生。

西元前六世紀，波斯人越過開伯爾山口，侵占印度河流域。前四世紀，馬其頓國王亞歷山大打敗波斯，緊跟著也侵入印度。亞歷山大從印度撤走時，在旁遮普設立了一名總督，並留下一支軍隊鎮守。旁遮普的首府是拉合爾，是印度最富庶的地方。旁遮普的意思是五條河流域，因為這裡有五條大河從喜馬拉雅山上流下，最後匯入印度河，形成一大片肥沃的土地。這裡是印度文明的發祥地，最早的古印度文明就誕生於此。吸引雅利安人、波斯人和馬其頓人入侵的正是旁遮普的財富。

亞歷山大走後，位於恆河流域的摩揭陀王國趁機殺入旁遮普，統一北印度。這位摩揭陀國王以前是一名養孔雀的剎帝利，統一後的王朝就叫孔雀帝國，或者孔雀王朝。

孔雀王朝在第三代統治者阿育王（Ashoka）的手上時達到鼎盛，除印度半島最南端外，整個印度次大陸都在王朝控制之下。阿育王在位時，大力推廣佛教，佛教因此興盛起來。與婆羅門教一樣的是，佛教也是修來生，就是強調今生受苦是為了來世享福。人總是趨利避害，沒有人願意天生受苦，用享福來誘導人們甘於受苦，實際是一種麻醉作用。與婆羅門教不一樣的是，佛教講求眾生平等，對廣大的底層民眾很有吸引力，於是佛教迅速傳播開來，並逐步傳播到國外。阿育王在位時期也是印度佛教的鼎盛時期，孔雀王朝覆滅後，佛教也衰落下去。唐玄奘（七世紀）到印度取經時，正是伊斯蘭教在阿拉伯半島興起，印度的佛教只剩下最後的榮光時刻。十二世紀末，在伊斯蘭教和印度教的擠壓下，印度佛教最終滅亡，今天印度的佛教是後來從中國反傳回去的。

孔雀王朝時期，婆羅門教吸收了佛教和其他一些宗教的思想，最終發展成印度教。

西元前一八八年，孔雀王朝滅亡後，印度半島上形成群雄割據的局面，為外敵入侵創造了機會。從西元前二世紀初開始，大夏人和安息人先後侵入印度。但最有成就的還是來自中亞的大月氏人，他們侵入印度後，統一了從中亞到印度半島的北部，建立了強大的貴霜帝國。

這個大月氏不是別人，正是從河西走廊遷出的那個大月氏，也是張騫辛辛苦苦尋找的大月氏，貴霜帝國對漢朝一直自稱大月氏。

貴霜帝國始於西元五五年，亡於四二五年，國祚將近四百年。貴霜帝國滅亡後，笈多王朝取代了他們在印度北部的勢力，這是印度人繼孔雀王朝之後，自己建立的第二個統一王朝，也是最後一個。與孔雀王朝不同的是，笈多王朝管理的範圍僅限於印度北部，就是印度河和恆河流域，這裡土地肥沃，白種人占多數。達羅毗荼人被壓縮到條件相對惡劣的南部高原，仍處於分裂狀態。

笈多王朝存在二百多年（約三二〇年～約五四〇年），中國首位到達印度的高僧法顯正是在笈多王朝時期。當時印度人發明了一種數字，這個數字簡單好記，特別是便於數學運算，後來經阿拉伯人傳到歐洲後，歐洲人以為是阿拉伯人發明的，稱為阿拉伯數字。

笈多王朝滅亡後，印度半島又回到四分五裂的狀態。唐僧正是在這時來到印度，只不過這時出現了一個能號召群雄的盟主戒日王，印度半島還不至於亂成一鍋粥。等戒日王一死，群龍無首，半島上各個王國又開始混戰。這種狀態持續了差不多五百年，給了中亞穆斯林一個絕佳的滲透機會。

從七世紀開始，印度北部興起一種新的力量，就是拉傑普特人。他們是特殊的群體，既是外來人，也是印度曾經的征服者後代，就是從西元前二世紀到六世紀期間，由中亞源源不斷進來的塞迦人、貴霜人、匈奴人、安息人和希臘人，並融合了當地土著，形成一個新的族群。這裡面不算雅利安人，因為雅利安人來得太早，已經算是本土人了。

拉傑普特的意思是「王族後裔」，他們有土地，在印度教中，屬於剎帝利，是武士階層。於是，在印度幾千年歷史中，出現一個少有的戰鬥民族。拉傑普特人主要生活在印度河流域和恆河流域，成為後來印度抵抗外族入侵的中流砥柱。當然，沒有外敵入侵時，他們各自為政，相互攻伐。

最大的外敵是伊斯蘭教徒穆斯林，從七世紀阿拉伯人興起後，就不停地入侵印度。穆斯林侵占印度分兩條線，一條是陸路，從開伯爾山口進入；另一條是水路，從阿拉伯海侵占印度半島的各個沿岸港口。但穆斯林真正征服印度是在十一世紀，這次是來自中亞（今阿富汗一帶）的突厥人，迅速侵占了印度北部。突厥的蘇丹隨後被刺身亡，於是留在印度的總督自稱蘇丹，以德里（今新德里以北）為首都，繼續統治印度北部的穆斯林。此後印度北部的穆斯林蘇丹國經歷過五個王朝的更迭，都是定都在德里，因此統稱為德里蘇丹國。

直到一五二六年，來自中亞的巴布爾再次從開伯爾山口侵入，打敗德里蘇丹國，建立了蒙兀兒帝國。蒙兀兒就是蒙古的意思，如果意譯，蒙兀兒帝國就是蒙古帝國。巴布爾是帖木兒的後代，而帖木兒又是成吉思汗的後代。只不過這支蒙古人早已突厥化了，也伊斯蘭化了，他們很順利地統治了印度北部，隨後大軍南下，各個擊破，最終建立了一個除最南端外的統一帝國。

蒙兀兒帝國後來亡於英國的殖民統治，真正讓印度半島統一為整體的是英國。只不過，英國人離開印度時，不願意看到一個統一的印度，這麼大片土地統一成一個國家，對任何人都是威脅，於是英國人把印度一分為二：信仰伊斯蘭教的為巴基斯坦，分兩塊，一塊在印度河流域一帶，一塊在孟加拉灣；信仰印度教的為印度，占領恆河流域及德干高原大片領土。後來孟加拉從巴基斯坦裡分離出來，獨立成國。至此，印度半島形成三國分治的局面。

英國人的印巴分治策為兩國留下無窮的後患，兩國至今仍處於戰爭狀態。同時，當時中國積貧積弱，對邊疆事務無能為力，殖民者肆意侵占中國領土，也為中印邊境留下不少麻煩。中印邊境上有兩個地方至今麻煩不斷，一個是藏南地區，一個是阿克賽欽，而這兩個地方都和青藏高原有關。

第十四章 養育幾十億人口的青藏高原

青藏高原是世界海拔最高的高原，也是中國面積最大的高原，東西長二千八百公里，南北最寬處一千五百公里，總面積約二百五十萬平方公里。如果以東經九十度經線為界，可以先把青藏高原劃分為兩個部分。其中九十度以東，北部屬於青海；南部又分兩部分，西部屬西藏，東部屬四川。而九十度以西幾乎全屬西藏。青海北部主要包括兩個地理區域：青海湖和柴達木盆地。青海湖是中國最大的內陸湖，原本是淡水湖，後來由於地質變化，流入黃河的河道被阻，天長日久，湖水只能靠蒸發維持平衡，最終變成鹹水湖。青藏高原上，類似青海湖這樣的情況很多：水源主要是雪山融水，但沒有排出水道，最終因蒸發而變成鹹水湖，只不過青湖海的體量大而已。柴達木盆地因地處高原，本身離大海遙遠，極度乾旱，造成以沙漠戈壁地貌為主。不過柴達木盆地還有一個重要的戰略價值，當河西走廊不通時，中原王朝可以從蘭州走祁連山南麓，從柴達木盆地穿過進入西域，柴達木盆地可說是河西走廊的備選方案。青海的南部主要是幾條大江大河的孕育地，如長江、黃河的源頭都在這裡。

青海境內，從柴達木盆地往南，越過崑崙山脈後是一片高寒山地。這片山地稱為可可西里山，因荒無人煙，又稱可可西里無人區。這片無人區有大量的珍稀動物，現今成為自然保護區。可可西里山一直延伸到西藏，在西藏有另一個名字，稱藏北高原，藏語稱羌塘高原。羌塘也是無人區，兩個無人區其實連成一片，但為什麼會有兩個名字？一是這兩個地區屬於不同的省分，另一是地理方面，它們完全不同。在東經九十度（準確地說是九十一度）以東，青藏高原屬於外流區，而九十度以西，屬於內流區。所謂外流，就是這裡的降水和雪山融水最終流往附近的黃土高原、四川盆地和雲貴高原，而內流區的水說白了就是流不出去，最終在高原上蒸發。外流區的湖多為淡水湖（青海湖是個例外），內流區的湖多為鹹水湖。還有一點，在東經九十度以西，海拔明顯增高，氣候更加寒冷。東經九十度以東，高原有個不太明顯的緩坡，多少受到來自太平洋暖溼氣流的影響，降水情況好得多。所以，青藏高原上大多城市都在東經九十度以東。

從羌塘高原到岡底斯山脈，整個西藏的西部都屬於人煙稀少的高寒地區。而岡底斯山脈以南，因為雅魯藏布江河谷的影響，生存條件稍好，出現日喀則這樣人口相對稠密的城市，西藏的人口主要集中在東部。在東經九十度以東，西藏和四川以金沙江（長江上游）為界，這裡海拔相對較低，河流眾多，來自東南方的太平洋暖溼氣流順著河谷而上，帶來降水的同時，也使河谷氣溫較為舒適，因此人口較為稠密。同樣的道理，拉薩本來處於高原的腹地，但喜馬拉雅山脈和念青唐古拉山脈在雅魯藏布江出口形成一個凹陷，來自印度洋的暖溼氣流在這裡聚集後無處前行，於是順著雅魯藏布江河谷倒灌，造成雅魯藏布江下游一帶河谷氣溫回升，降水增加，反而成為較為宜居的地帶，整個西藏的精華全部集中在這一帶，拉薩是其中典型的代表，這裡的人口密度甚至超過了東部四川。

四川省主要在阿壩藏族羌族自治州和甘孜藏族自治州，甘孜是四川盆地進入西藏的必經之地，交通條件略好；阿壩，顧名思義，是個凸起，地勢較高，路很難走，人跡罕至。正是因為這個凸起，黃河才在這裡拐彎，流向河套，而沒有像大渡河那樣流入四川盆地。

青藏高原雖然氣候寒冷，但水資源豐富。這些水大多儲存在冰川上，以雪山融水方式滋養出一條又

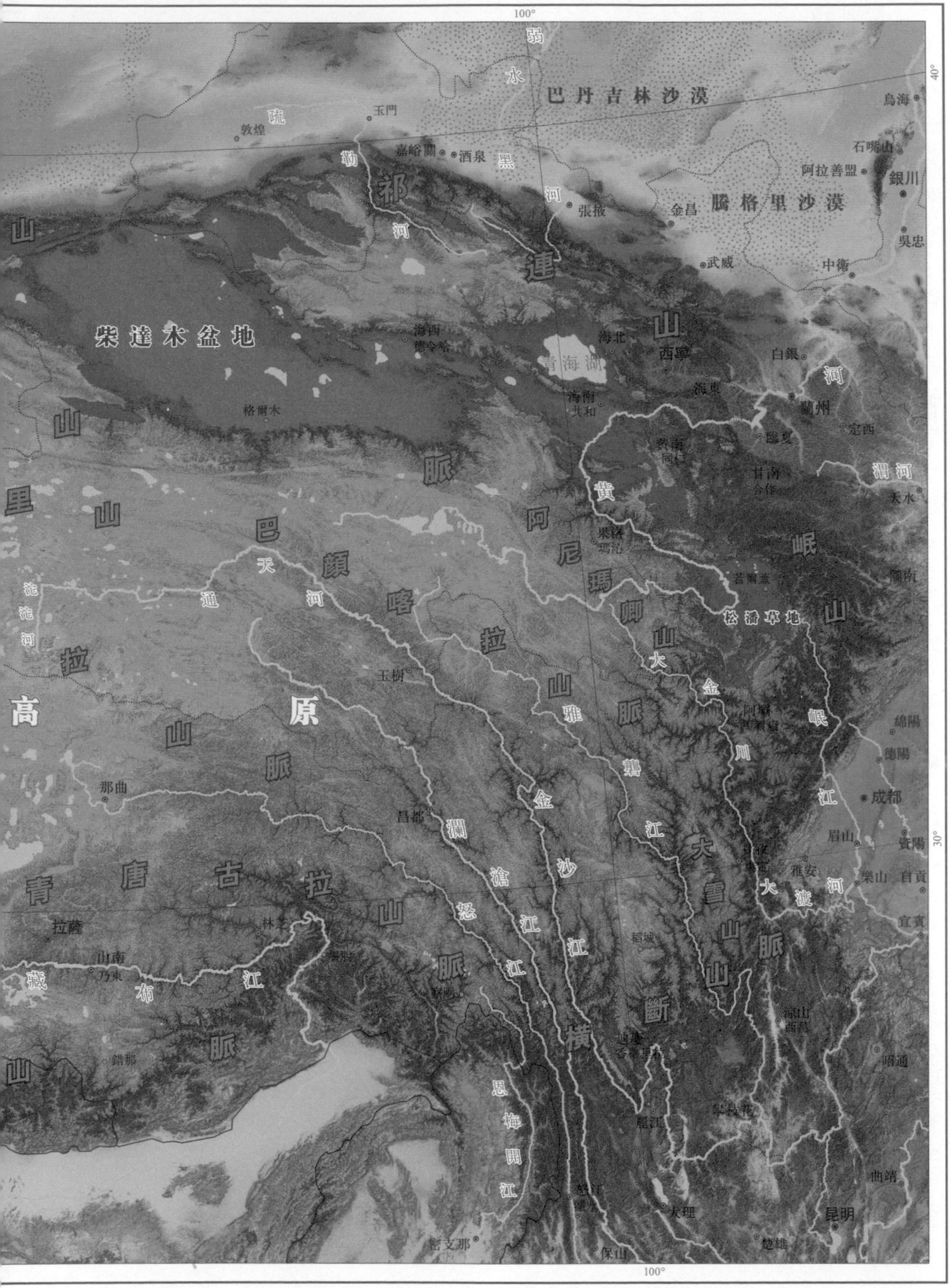
100°
40°
30°
弱水
巴丹吉林沙漠
烏海
石嘴山
銀川
阿拉善盟
騰格里沙漠
金昌
吳忠
武威
中衛
玉門
敦煌
疏勒河
嘉峪關
酒泉
黑河
張掖
祁連山
柴達木盆地
海西
德令哈
海北
西寧
青海湖
白銀
海東
蘭州
海南
共和
格爾木
臨夏
定西
黃南
同仁
甘南
合作
渭河
天水
黃河
果洛
瑪沁
岷山
若爾蓋
隴南
松潘草地
阿尼瑪卿山
巴顏喀拉山脈
通天河
沱沱河
玉樹
大金川
阿壩
岷江
綿陽
德陽
成都
眉山
資陽
雅安
樂山
自貢
大渡河
宜賓
雅礱江
大雪山脈
金沙江
瀾滄江
怒江
昌都
那曲
高原
唐古拉山脈
青
拉薩
林芝
山南
乃東
藏布江
錯那
橫斷山脈
稻城
迪慶
香格里拉
涼山
西昌
昭通
攀枝花
麗江
恩梅開江
怒江
瀘水
大理
昆明
曲靖
楚雄
保山
密支那

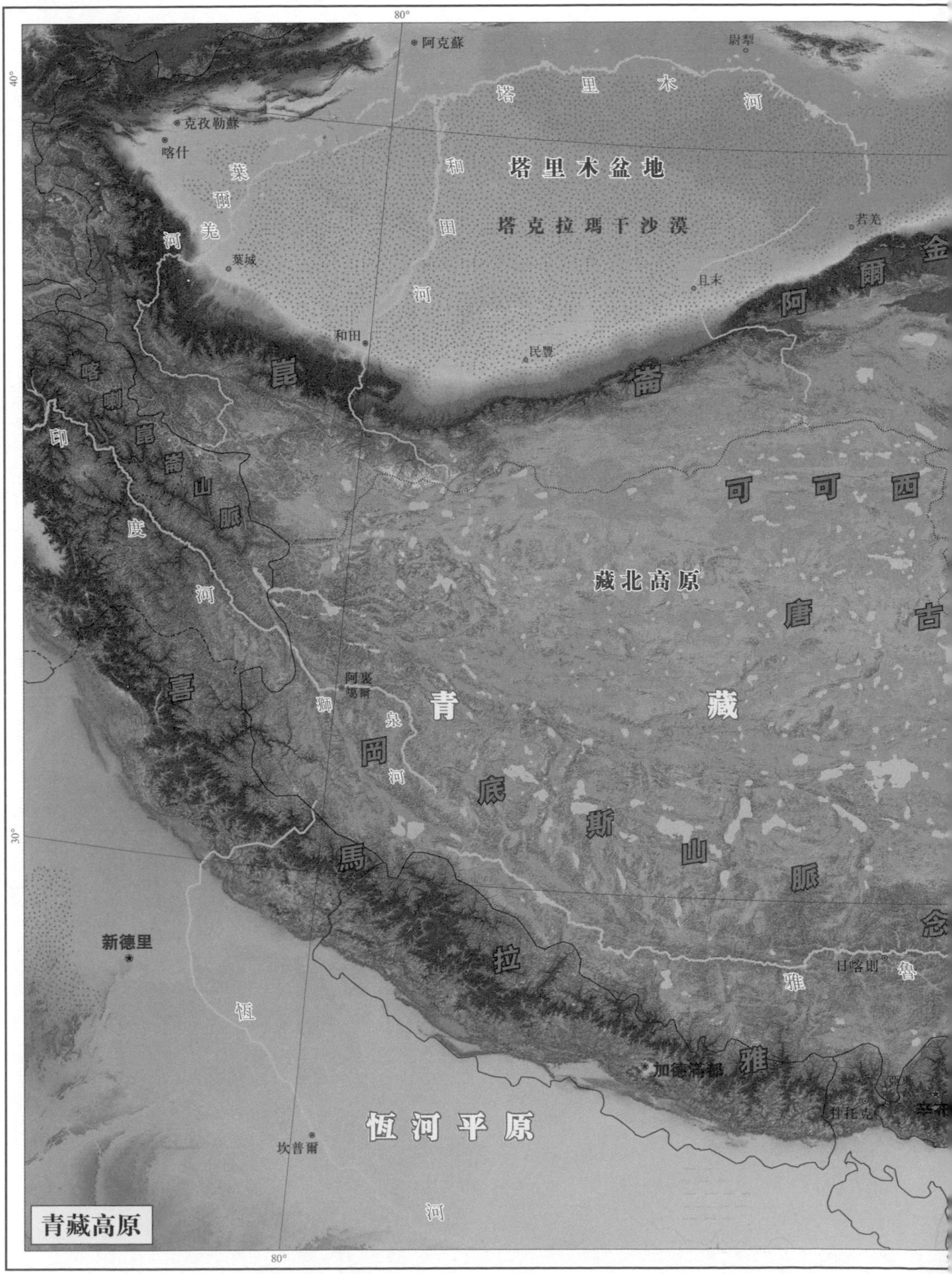
80°
阿克蘇
尉犁
40°
塔里木河
克孜勒蘇
喀什
葉爾羌河
和田河
塔里木盆地
塔克拉瑪干沙漠
若羌
葉城
且末
阿爾金
和田
民豐
崑崙
喀喇崑崙山脈
印度河
可可西
藏北高原
唐古
阿裏
噶爾
獅泉河
青藏
岡底斯山脈
喜馬拉雅
30°
念
新德里
日喀則
雅魯
恆河
加德滿都
恆河平原
坎普爾
青藏高原

一條的大河和無數湖泊。其中長江和黃河流入中國的東部，成為華夏文明的母親河。瀾滄江、怒江和伊洛瓦底江最終流入中南半島，滋養了半島的先民。獅泉河和恆河流入印度，滋養出印度文明。可以說，青藏高原不只為中華文明做出了傑出貢獻，也滋養著附近所有的先民。

對於平原地區的人來說，海拔二千公尺就會有高原反應，而青藏高原平均海拔四千多公尺，對很多人來說簡直不堪忍受。高寒加上空氣稀薄，對早期的人類來說，顯然不適合生存；對原始的人類來說，平原地區沼澤太多，野獸追起來無處躲藏，也不適合生存。最好的地方是坡地，有山林，有草地，既能放牧，又能打獵，而青藏高原的東北角就是這樣一個地方，恰好處於祁連山以南、隴山以西。那時，華北平原還是一片汪洋，泰山只是海面上露出一個尖尖的小島，而祁連山一帶有山、有水，有牧場、有森林，是原始人類最適宜生存的地方，於是有一批先民就在這裡繁衍，我們稱為古羌人。

後來，黃河的泥沙不斷在大海中堆積，華北一帶成了平原（按《山海經》的說法，精衛填海後才有的華北平原），於是有一批古羌人從高原上下來，進入平原，發展出農業，與那裡的東夷人、九黎人融合，創造了華夏文明。剩下的那些古羌人呢？由於華北平原的形成，這裡離大海愈來愈遠，氣候愈來愈乾，牧場在退縮，野獸也愈來愈少，有些人不甘心，開始往高原腹地遷徙。這些人在遷徙的過程中，發現高原上不是杳無人跡，有早期從其他地方遷過來謀生的部族（矮黑人），於是逐漸與他們融合，就是後來的吐蕃人（藏族人的祖先）。我們常說「漢藏同源」，原因就在這裡。

因為氣候寒冷，空氣稀薄，高原上的發展一直很慢。而在高原東方，華夏文明發展得很快，很早就建立了統一的華夏文明，不停向這裡輻射。青藏高原受自然條件影響，原本就發展緩慢，再加上高原上山脈成群，溝壑縱橫，把高原分割成無數的小聚落，很難形成合力，在發展的歷史中，不僅受東方華夏文明的影響，南部還受到印度文化影響。直到唐朝，青藏高原在松贊干布的帶領下才統一起來，一時勢不可擋，就連強悍的大唐帝國在他面前也屢屢吃虧。只是松贊干布建立的吐蕃王朝沒有形成傳統，反而曇花一現。之後青藏高原又是一盤散沙，直到蒙古人進入，才把它納入中原王朝的統治之下。中原王朝很明白青藏高原對中央帝國的屏障作用，但這裡自然條件有限，很難發展，基本上採取自治的政策。中原王朝鼎盛時期，青藏高原（特別是西藏，青海基本漢化，川西漢化程度很高）做為中央帝國的一部分，沒人敢打它的主意。但當中原王朝衰弱時，面對青藏高原的地理優勢，貪婪的目光隨即到來。特別是近代以來，高原不再成為人類不可逾越的障礙，青藏高原的地理優勢更加突顯出來。對中國腹地而言，青藏高原具有居高臨下的優勢，對新疆同樣如此。而且新疆遠離中國腹地，本身就是中原王朝控制薄弱的地區，如果青藏高原有失，新疆很容易脫離中央的管控。英國人正是看到了這一點，於是開始染指青藏高原，首當其衝的就是藏南和阿克賽欽。

英國人在印度殖民時，正是清王朝衰弱之時，沒有精力也沒有能力顧及邊疆事務，於是英國人發現機會來了。

一說到藏南，就會提到麥克馬洪線。英國在印度殖民統治時，一九一三年一廂情願地劃了一條中印分界線，這條線先沿喜馬拉雅山的山脊線走，過了雅魯藏布江後，又沿著念青唐古拉山的山脊線走。這個人名叫麥克馬洪（Henry McMahon），因此這條線被稱為麥克馬洪線。

麥克馬洪線分兩段：一段是和印度的分界線，稱藏南段；一段是和緬甸的分界線，稱緬甸段。

關於藏南段，歷屆中央政府和西藏地方政府都沒有承認過。英國人一開始也不敢畫在公開地圖上，直到一九三六年才出現在英屬印度地圖上，但一直注明「未標定界」。

藏南包含了九萬平方公里的土地，有兩個不丹王國那麼大。位於喜馬拉雅山脈南麓，夏季受印度洋暖溼氣流和西南季風的影響，年平均降水量在九千毫米以上，是世界上降水量最大的地區之一。因降水豐富，土壤很肥沃，可種植許多亞熱帶作物。這裡的氣候和喜馬拉雅山脈北邊的高原完全是冰火

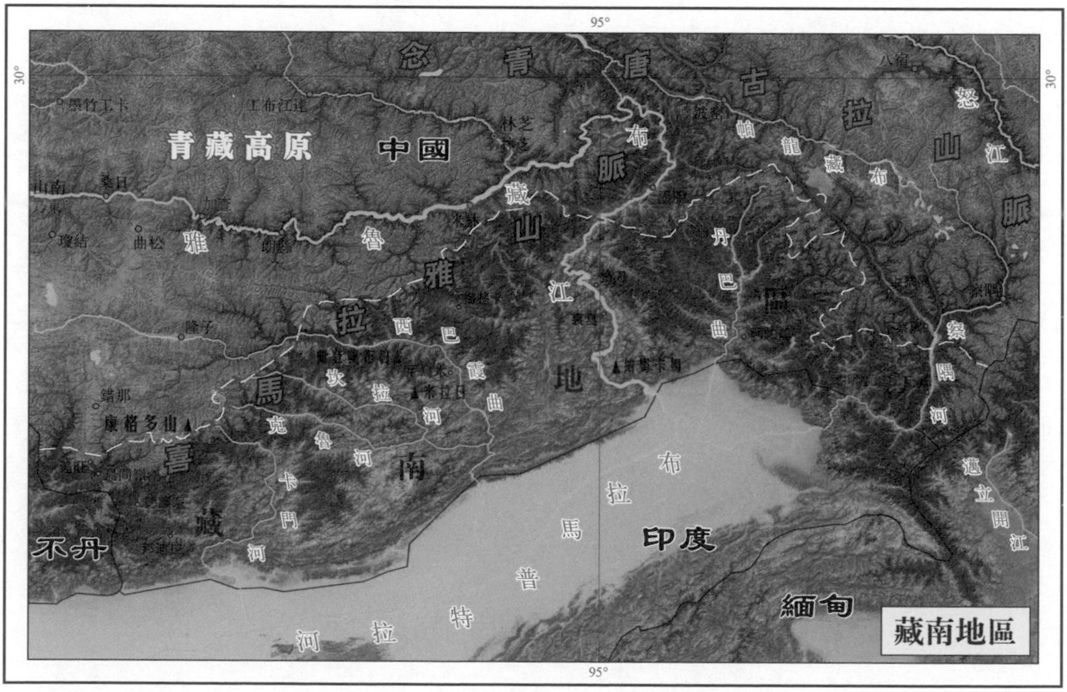

藏南地區

二重天，又被稱為西藏的「江南」。但喜馬拉雅山平均海拔七千公尺以上，從軍事上說，中國要控制這裡的難度遠大於印度。一九六二年，中印戰爭時，中國軍隊摧枯拉朽般取得了勝利，但很快又撤回來了，原因就在這裡，冬季到了，大雪封山，後勤補給供應不上。即便不是冬季，要翻越喜馬拉雅山脈提供後勤保障，難度依然很大。

緬甸段主要涉及江心坡、野人山地區的歸屬問題。江心坡原本是指恩梅開江和邁立開江之間的坡地，後來泛指密支那以北的這片土地。恩梅開江和邁立開江都是伊諾瓦底江的源頭，匯合的地方正是江心坡南端。江心坡的西界就是野人山，也是麥克馬洪線的東段，這一劃線直接把胡

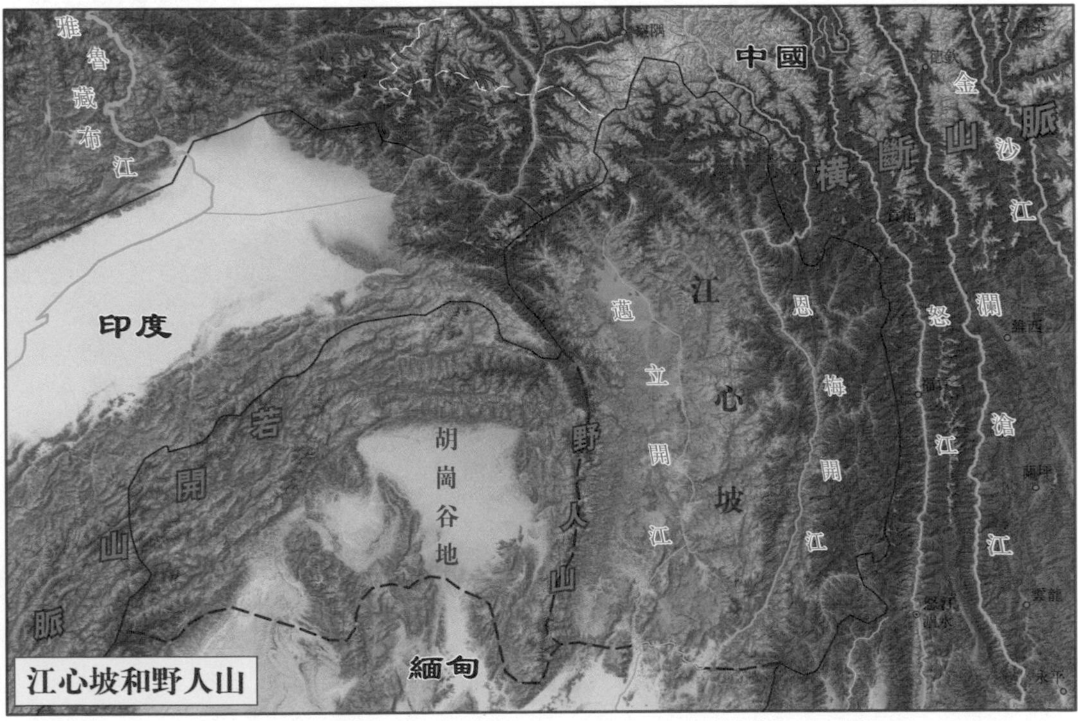

江心坡和野人山

康河谷劃到了緬甸（當時緬甸是英國殖民地，為英屬印度的一個省）。今緬甸北部是中國傳統的勢力範圍，英國人在緬甸殖民時，不斷往北蠶食中國領土。對於這些非法占領的土地，一開始中國政府沒有承認，直到一九四一年抗日戰爭吃緊時，國民政府為了換取英國人支援，希望他們不要幫日本人，不要封鎖滇緬公路，就把江心坡和野人山劃給了緬甸。這是利益交換，和強占性質完全不同，雖然英國人是趁火打劫。正是因為江心坡的丟失，才讓後來印度肆無忌憚地侵占藏南地區。胡康河谷的戰略地位稍弱，但江心坡的戰略地位卻十分重要。假如江心坡不丟的話，中國完全可以從氣候溫和的雲貴高原取道江心坡，然後從念青唐古拉山的南麓進入藏南。這條路比翻越喜馬拉雅山好走多了，一是這裡的山脈遠沒有喜馬拉雅山脈高，二是山南的氣溫比山北的氣溫舒適多了。如果是在今天，以中國現在的工程技術，在這裡修建高速公路也不是什麼難事。而這些，在喜馬拉雅山脈上都是想都不敢想的事。

阿克賽欽的情況更複雜一些，因為它的旁邊就是喀什米爾。

喀什米爾泛指喀什米爾谷地、查謨、拉達克、蓬奇、吉爾吉特和巴提斯坦的廣大地區，其中喀什米爾谷地土壤肥沃，是喀什米爾人口最密集的地區，居民主要為穆斯林，查謨的居民主要為印度教徒。拉達克的意思是「喇嘛之地」，主要是藏民，但這裡屬於高寒地帶，人煙稀少，在整個喀什米爾地區的人口中所占比例很小。

拉達克雖然人煙稀少，但地處喜馬拉雅山脈和喀喇崑崙山脈之間，戰略位置十分重要。拉達克原本是中國故土，清朝以前，中國人只要守住拉達克，就是喀喇崑崙山脈和喜馬拉雅山脈之間的河谷，就能保住西藏和南疆的安全。可惜的是，當印度人建立的錫克帝國興起後，隨即染指拉達克，拉達克曾向西藏地方政府求救，但當時清政府的駐藏大臣置之不理，致使拉達克被錫克帝國吞併，而後又轉移到英國人手裡。英國人走的時候，對喀什米爾的劃分並不明確，於是印、巴兩國在這裡不停開火，其中最核心的區域喀什米爾谷地、查謨和拉達克都被印度實際控制。

正是拉達克的丟失，讓阿克賽欽的戰略地位一下子突顯出來。

阿克賽欽是維吾爾語，這個詞語源於古突厥語 Aksai Chin，意為「中國的白石灘」，aksai 指「白石灘」，突厥語稱中國為 Chin（秦）。

如果從安全的角度講，中國的國界線至少應該控制在喀喇崑崙山脈的分水嶺才好，但現在的情況，等於國界線在這裡打開了一個缺口，讓阿克賽欽不得不擔起這個重任。

阿克賽欽位於新疆與西藏的交會地帶，可說是新疆通往西藏的唯一通道。阿克賽欽的西邊是喀喇崑崙山脈，東邊是藏北高原，北部是崑崙山脈，也就是說東、西、北三面全是高原雪原，只有南面相對平坦，直通西藏。在新疆到西藏之間，橫亙著一條綿延二千五百公里、海拔高達六千公尺的崑崙山脈，要翻越這樣高大的山脈幾乎就是人類的極限，但好在崑崙山脈的西端有一個山口相對低緩，新藏公路就從這裡進入西藏。新藏公路是連接新疆和西藏唯一的動脈，這條公路越過崑崙山後，穿過阿克賽欽地區，經阿里，沿著雅魯藏布江河谷，最終到達拉薩，走向和邊境線平行。在西藏地區漫長的邊界線上，大多數地方都是終年積雪的無人區，交通不便，物資缺乏，再加上海拔太高，一般人不宜長期待在山上，防守這裡的邊界線是個大問題。而新疆的海拔低，不存在這些問題，新藏公路也是西藏邊境線的輸血管道，既運送物資，也運送人員，還可以把在邊境值勤太久的士兵運回新疆休養。青藏高原漫長的邊界線中，絕大部分都是劃在喜馬拉雅山的分水嶺上，對雙方來說都是最安全的。但在喀什米爾這一段，由於印度的實際控制區已經到了喀喇崑崙山脈以東，對中國來說很不利。這樣一樣，阿克賽欽就顯得尤為重要，保住阿克賽欽，就保住這一段邊境線，也保住了新藏公路，更保住了藏區漫長的邊境線。在藏南，由於地處喜馬拉雅山脈南坡，就算印度強占了，對中國的本土不會產生威脅，反而是如果中國收復藏南，對印度就會產生致命威脅；但在阿克

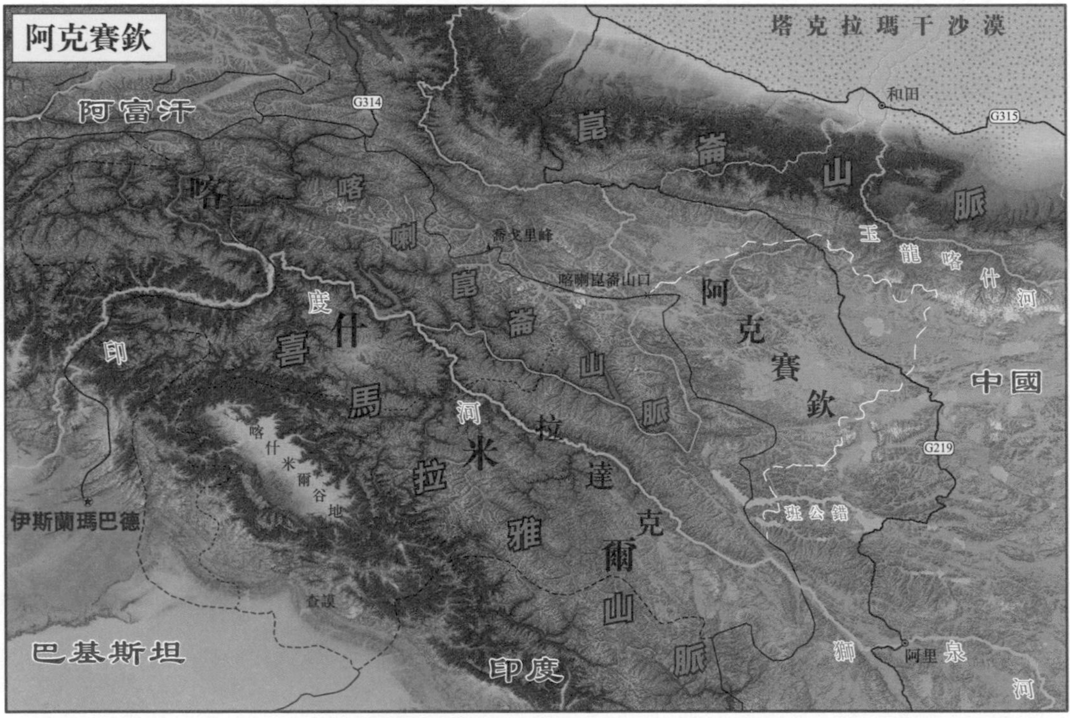

賽欽，情況恰好反過來了。唯一讓中國稍感安慰的是這裡氣候嚴寒，不適合大規模用兵。喀喇崑崙山脈平均海拔超過五千五百公尺，是世界上冰川最集中的地方，印度人長年生活在熱帶地區，對此氣溫極不適應。

順便一提，現在很多人使用地圖時喜歡從網路上下載，這些地圖往往都是外國人製作的，無一例外地都把阿克賽欽和藏南劃到印度，依據就是當年英國人單方劃分的國界線，中國當然不承認，對中國而言，這些地圖就是「問題地圖」。和麥克馬洪線一樣，當年英國人一廂情願地把阿克賽欽劃歸為印度，使阿克賽欽成為喀什米爾的一部分，即所謂的「詹森線」，意圖很明顯，是想從這裡繼續侵入新疆。當時的清政府根本不知情，後來的歷屆政府也從未承認。不只是阿克賽欽，就是拉達克地區，中國歷屆政府也未曾承認放棄主權。一九六二年，中印戰爭的起因就是阿克賽欽，當時中國剛剛修建了新藏公路，印度以「詹森線」為由，聲稱對這裡擁有主權，集結軍隊侵入阿克賽欽。中國軍隊迅速反應，擊退了印軍。在藏南，因為後勤補給的問題，中國軍隊最終退守喜馬拉雅山脈以北，但在阿克賽欽，寸步不讓，原因就在這裡。中國和巴基斯坦的界線基本以喀喇崑崙山脈的分水嶺為界，對雙方都是最好的選擇，兩國為了對付印度而結成盟友，在邊界問題上各讓一步，比較好達成協議。不但如此，還修建了一條中巴公路，從新疆直通伊斯蘭瑪巴德，這條公路成為喀什米爾地區最大的經濟動脈。而印度始終對中國領土念念不忘，實際上他們要翻越喀喇崑崙山脈也不容易，最好的路線就是沿河流從拉達克進入。這裡又分兩條線路，一條是沿印度河往阿里方向，不過在這條線的出口是兩山夾一谷，對中國來說有兩個制高點，控制一條河谷輕而易舉；那麼實際上只剩下一個選擇，就是沿著喀喇崑崙山脈南麓的河谷往東。喀喇崑崙山脈並不長，山脈的盡頭有眾多河谷通往中國，包括班公錯方向。而這些山谷和班公錯都在阿克賽欽，這就是阿克賽欽的價值所在。

阿克賽欽以北就是帕米爾高原，還有一個戰略要地瓦罕走廊。如果從地圖上看，就是阿富汗伸往中國的一條狹長地帶，再加上中國伸往阿富汗的一小段，這就是瓦罕走廊。從噴赤河到葉爾羌河上游這一段，實際是帕米爾高原和興都庫什山脈之間的山谷。不過這個山谷很高，平均海拔在四千公尺以上。

瓦罕走廊原本是中國的領土，十九世紀英國和俄羅斯帝國（沙俄）爭奪中亞時，雙方為了不致於短兵相接，就把瓦罕走廊劃給了阿富汗，做為他們之間的緩衝區。瓦罕走廊也是古絲綢之路的一條支線，東晉高僧法顯曾經過這裡前往印度研究佛法。

瓦罕走廊既是連接中國和中亞的通道，也是連接喀什米爾和中亞的通道，中國古人占據這裡顯然也是看中了它的戰略價值。不過我們不要高估瓦罕走廊的通過性，例如網路上有人說美軍在興都庫什山脈圍剿賓拉登時，由於山區地形複雜，物資送不進去，最後求救於中國，中國從瓦罕走廊直接把物資送到美軍手上。這當然是個訛傳，瓦罕走廊地處高寒，每年除了六、七、八月可以通行外，其餘時間都是大雪封山。而且從中國到中亞的通道中，瓦罕走廊只是一個不得已的選擇。最好的選擇是第一章介紹絲綢之路時說過的北疆路線。當然在歷史上，北疆地處游牧民族的草原地帶，經常不穩定，從南疆行走更安全。但從南疆行走的第一選擇也不是瓦罕走廊，而是費爾干納盆地，例如張騫尋找大月氏時，走的就是費爾干納。相較於瓦罕走廊，從南疆的喀什沿克孜勒蘇河而上，到達天山山脈與帕米爾高原之間的谷地，再從谷地翻過天山山脈，就到了富饒繁華的費爾干納盆地，經此再往西，就到達中亞的樞紐城市——撒馬爾罕。這條路線的路程是瓦罕走廊的三分之一，而且所經之地海拔比帕米爾高原低很多，風險自然小很多。

印度搶占喀什米爾，目的之一就是往北連接瓦罕走廊，打通中亞。一旦發生的話，對中國很不利，好在巴基斯坦控制了喀什米爾的北部，印度的北進計畫看來暫時沒有希望。

總有人會疑問，全世界那麼多被歐洲人殖民的地方，絕大多數國家在事後反而對歐洲人心懷感激，因為歐洲人把他們帶入了文明，為什麼偏偏中國人對殖民者一直抱著痛恨的心態？因為中國之前一直是世界老大，突然被欺負了，心裡上難以接受？其實只要看看結果就知道，那些認為殖民者好的人，都得到了好處，加拿大、澳洲等就不說，他們本身就是殖民者鳩占鵲巢，沒有理由不敢感激母國的殖民，否則就沒有今天的他們。拿印度來說，的確該感激英國人，沒有他們殖民，印度還是一盤散沙，不可能成為一個地區大國。對中國來說呢？只要看看邊境線上殖民者留下的一個又一個瘡疤，沒有理由不懷恨。

今天的印度做為一個地區大國，影響力遍及印度洋的各個角落。一提起印度，總會不自覺地和中國比較：同樣是文明古國，同樣是人口大國……

實際上，印度和中國有很多不同。

第一，印度文明的影響力的確很大，但和古印度文明不是一回事，達羅毗荼人創造的古印度文明早在雅利安人入侵時就中斷了，而中國的文明自古至今一脈相承。

第二，很重要的一點，印度的地形和中國完全不同。要了解這個差異，需要用到另一個地形圖，即用分層設色的方法反映地貌的地形圖。這種地形圖相較於暈渲圖，雖然失去了一些山形的細節，卻能很好地反映一個大區的地理走勢，就是地勢。從地勢圖上可以看到，中國的地勢明顯分為三個階梯：東部綠色為主的部分為第一級，包括東北平原、華北平原、東南丘陵等，這一級大部分海拔在五百公尺以下，是最適合耕種，也是人口最稠密的地區；第二級為蒙古高原、黃土高原、雲貴高原和新疆，其中除了關中和四川盆地兩個地方外，大多數地方海拔在一千公尺以上，屬於可以耕種，但產量不高的

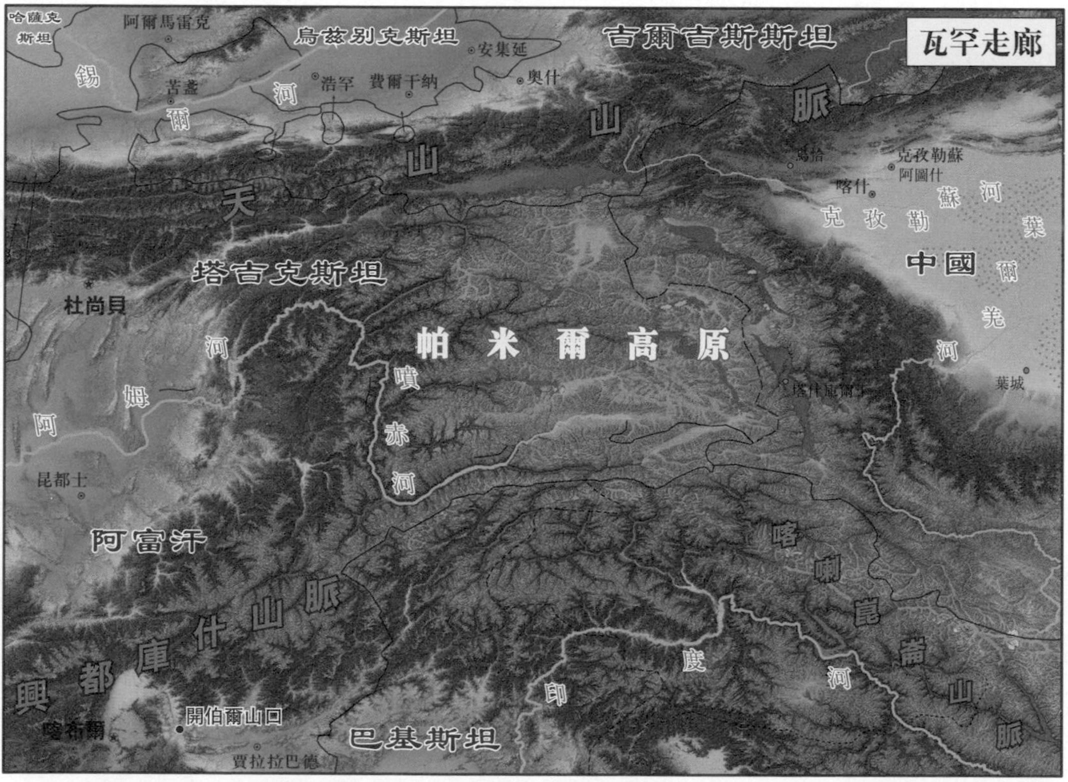